Libro del
alumno

Nivel 1

W0010406

María Ángeles Palomino

edelsa
GRUPO DIDASCALIA, S.A.

1.ª edición: 2012
6.ª impresión: 2021

Impreso en España/*Printed in Spain*

Autora: María Ángeles Palomino

Dirección y coordinación editorial: Departamento de Edición de Edelsa.
Diseño de cubierta: Departamento de Imagen de Edelsa.
Diseño de interior y maquetación: Departamento de Imagen de Edelsa.
Ilustraciones: Ángeles Peinador Arbiza.
Fotografías: Photos.com

CD Audio: Bendito Sonido

ISBN versión internacional: 978-84-7711-937-1
ISBN versión brasileña: 978-84-7711-817-6

Depósito legal: M-6185-2012

Notas y agradecimientos:
- La editorial agradece al IES Príncipe Felipe de Madrid su colaboración desinteresada.
- La editorial Edelsa ha solicitado los permisos de reproducción correspondientes y agradece a todas aquellas instituciones que han prestado su colaboración.
- Las imágenes y documentos no consignados más arriba pertenecen al Departamento de Imagen de Edelsa.
- Cualquier forma de reproducción de esta obra solo puede ser realizada con la autorización de la editorial, salvo excepción prevista por la ley. Diríjase a CEDRO (Centro de Derechos Reprográficos, www.cedro.org) si necesita fotocopiar o escanear algún fragmento de esta obra.

¡Bienvenido a este curso de español!

Versión mixta: digital y papel

¿En qué consiste?

1. Trabajar con el material digital

- Libro del alumno digitalizado interactivo.
- *Blog* en la red:
- Ejercicios y actividades complementarias de descarga gratuita

} www.edelsa

2. Trabajar con el libro en formato papel

- Libro del alumno (Págs. 6 a 96).
- Carpeta de actividades complementarias (Págs. 97 a 128).

¿Cómo funciona este curso?

Este libro tiene 6 unidades

Observa la primera página de cada unidad y sus objetivos.

Cada unidad tiene 2 lecciones

Empezamos cada unidad con un diálogo o un texto.

Responde las preguntas sobre el diálogo o el texto.

Practica y comunica en español.

Acción.

On-line

Escribe en español y publícalo en el *blog* Código
ELE en www.edelsa

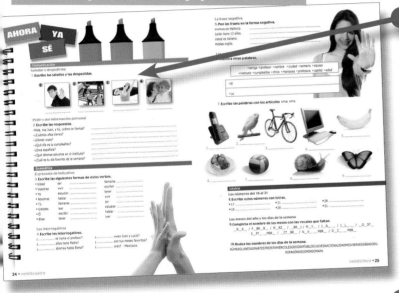

ctividades para la
ducación en valores.

Relaciona tu clase de es-
pañol con otras clases:
Geografía, Matemáticas,
Educación Física...

Recapitulación y práctica

Repasa y fija tus conocimientos:
- de comunicación.
- de gramática.
- de texto.

Modelos de examen

Prepárate para un examen.

Cuaderno de ejercicios

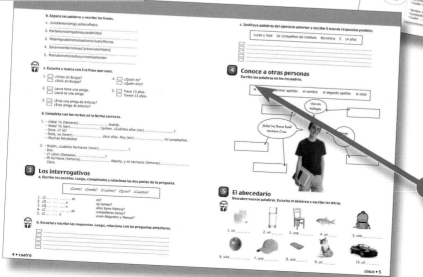

12 páginas de actividades
por cada unidad.

Índice del libro del alumno

Conocimientos lingüísticos	Saberes y habilidades culturales
Pronunciación de los sonidos especiales del español: *CH, C + a/o/u y C + e/i, Ñ, J, G y GU + e/i, LL*. Los números del 1 al 19, práctica de la pronunciación. Las reglas de la pronunciación y la escritura del acento.	Acercamiento a los sonidos propios del español a través de nombres propios típicos. Aproximación a la geografía política española y ciudades importantes. Primer contacto con la dimensión americana del español.
Verbos *llamarse, ser, vivir y tener* en presente. Interrogativos *quién, cómo, cuántos/as, dónde*. Signos ortográficos: ¿, ?, ¡, ! El abecedario y otros signos ortográficos.	Saludar y despedirse correctamente según el momento del día. Primer acercamiento al uso de los dos apellidos españoles.
Los números del 20 al 31. Nombres de los meses y de los días de la semana. Adjetivos posesivos. Género de los sustantivos, los masculinos terminados en *-o* y en *-or* y los femeninos terminados en *-a, -ora* y *-ad*, y algunas excepciones. Los artículos determinados e indeterminados.	La organización semanal. Formas de felicitar.
Tú y usted; vosotros/as y ustedes.	La expresión de la formalidad e informalidad según los contextos y los interlocutores en el mundo hispano.
Nombres de países y los gentilicios. El género de los adjetivos gentilicios por la terminación.	Nombres de los países y signos que los representan.
Nombres de objetos de material escolar. La formación del plural de los sustantivos y adjetivos. Nombres de asignaturas. Usos de *para*. Locuciones de lugar: *detrás de, delante de, debajo de, sobre, enfrente, entre*.	Las asignaturas de un curso de estudiantes de 12 años (1.º de la ESO, Educación Secundaria Obligatoria). El sistema de las notas.
Verbos de actividad escolar y de ocio. Clasificación de los verbos en tres conjugaciones y el presente de indicativo regular. Los verbos *ver, hacer y jugar* en presente de indicativo. Objetos y mobiliario del aula. Contraste *hay y está(n)*.	Datos sobre el ocio y las actitudes de los jóvenes hispanos.
Adverbios *bien/mal* con el verbo *estar*.	Los comportamientos sociales aceptables en un aula.
Los nombres de los colores y la formación del femenino y del plural de los adjetivos.	
Los parentescos. Los adjetivos posesivos singular y plural, masculinos y femeninos. La formación del plural y el cambio de acentuación. El verbo *gustar* y los pronombres de complemento indirecto. Los adverbios *muy, mucho, poco y nada*.	El concepto de *familia* y actividades que realizan juntos.
Adjetivos y sustantivos de descripción física. Contraste *tener y llevar*. Adjetivos terminados en *-o, -or* y *-e*.	
Nombres propios sin artículo.	El uso de los dos apellidos y la forma de funcionamiento. Los nombres y apellidos hispanos más frecuentes.
Números superiores a 31 y los signos matemáticos.	
Las horas. Usos de las preposiciones *a, de y por* para hablar del tiempo. Verbos pronominales y pronombres reflexivos. Verbos irregulares frecuentes. Actividades habituales.	Los horarios y las actividades características de un joven español.
La expresión de futuro *ir a* + infinitivo. Actividades de tiempo libre. Expresiones temporales de futuro. La expresión de la obligación *tener que* + infinitivo.	La cortesía verbal para rechazar una propuesta.
Verbos de acción cotidiana.	La pirámide de la salud.
Los nombres de los deportes.	Los deportes más populares en el mundo hispano.
Nombre de las habitaciones y de los muebles. Los demostrativos y los adverbios de lugar.	La deíxis y la proxemia. Las cartas postales.
Los verbos *ir y venir* y las preposiciones. Los números ordinales. Los nombres de los establecimientos públicos y los medios de transporte. Nombres de vías y espacios urbanos (*calle, plaza, avenida...*).	Los espacios públicos habituales en una ciudad. Formas de dar direcciones.
Los comparativos.	
Los nombres de los animales.	El concepto de *mascota*.
Las expresiones *querer y preferir* con infinitivo. Los pronombres con los infinitivos. Los verbos impersonales y los sustantivos para hablar de la meteorología. Las estaciones del año.	
El pretérito perfecto simple de los verbos regulares e irregulares más frecuentes. Expresiones temporales del pasado.	Personajes universales relevantes.
El vocabulario de la ecología.	Los contenedores de residuos españoles.
Los planetas.	

Descubre el español

Su ciencia
(Pedro Duque, España)

Su música
(Shakira, Colombia)

Su comida
(Tacos, México)

Su deporte
(Messi, Argentina)

Su arte
(Guggenheim, España)

La comunicación
(Tú y el mundo hispano)

0 Bienvenido al español

Tuenti es una red social española para jóvenes.

1 Descubre los nombres en español

A. Escucha y marca los nombres.

Pista 1

¡Hola! Soy Lorena. Te presento a mis amigos del Tuenti.

Charo ①

Íñigo ②

Cristina ③

Ramón ⑨

Pilar ④

Guillermo ⑧

David ⑤

Juan ⑦

Carlos ⑥

Pista 2

B. Escucha y repite.

C. Di un número, un compañero dice el nombre del amigo.

El 5.

David.

1 uno 2 dos 3 tres 4 cuatro 5 cinco 6 seis 7 siete 8 ocho 9 nueve 10 diez
11 once 12 doce 13 trece 14 catorce 15 quince 16 dieciséis 17 diecisiete
18 dieciocho 19 diecinueve

2 Descubre cómo es España

Relaciona las ciudades con los números y pregunta a tu profesor.

¿Madrid es el 1?

Sí/No.

España

La Coruña

Bilbao

Barcelona

Madrid

Badajoz

Valencia

Sevilla

Logroño

Valladolid

Zaragoza

1 L

2 B

3 L

4 V

5

6 B

Z

7 M

V

8

B

9

10 S

3 Descubre América Latina

Escribe los nombres de los países hispanos.

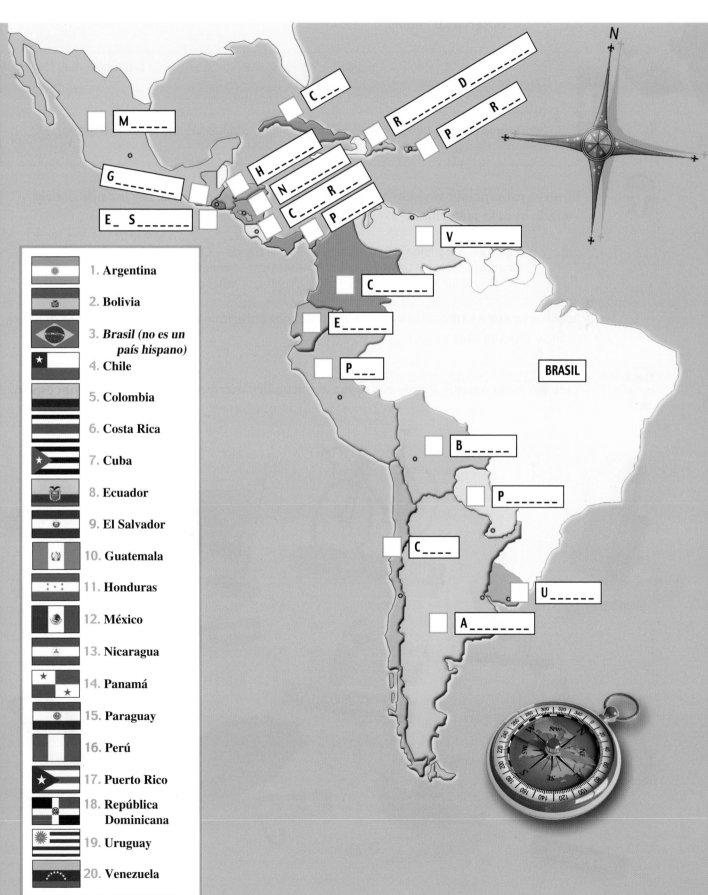

N

M_____

C___

R_____   D_____

P_____ R___

G_____

H_____

N_____   R___

C____   P_____

E_ S_____

V_____

C_____

E_____

P___

BRASIL

B_____

P_____

C____

U_____

A_____

1. **Argentina**

2. **Bolivia**

3. *Brasil (no es un país hispano)*

4. **Chile**

5. **Colombia**

6. **Costa Rica**

7. **Cuba**

8. **Ecuador**

9. **El Salvador**

10. **Guatemala**

11. **Honduras**

12. **México**

13. **Nicaragua**

14. **Panamá**

15. **Paraguay**

16. **Perú**

17. **Puerto Rico**

18. **República Dominicana**

19. **Uruguay**

20. **Venezuela**

Descubre la música del español

A. **Observa las reglas.**

R

1. En las palabras terminadas en vocal, –n o –s, la penúltima sílaba se pronuncia más fuerte.
   Colombia   Honduras
2. En las palabras terminadas en otras consonantes, la sílaba fuerte es la última.
   Valladolid   Salvador
3. Pero si una palabra tiene un acento escrito (´), se pronuncia más fuerte esa sílaba.
   Ramón   dieciséis   república

Pista 3

B. **Observa estas palabras y subraya la sílaba fuerte. Luego, escúchalas y levanta el brazo cuando oyes la sílaba fuerte.**

Argentina – Badajoz – Barcelona – Bolivia – Carlos – Chile – Cristina – David – Ecuador – Íñigo – Logroño – Madrid – México – Panamá – Paraguay – Perú – Pilar – República – Sevilla – Uruguay – Valencia – Zaragoza

C. **Acostúmbrate a cambiar la voz. Lee las palabras anteriores en voz alta y levanta el brazo cuando dices la sílaba fuerte.**

Pista 4

D. **Escucha estas palabras, rodea la sílaba acentuada y escribe el acento en caso necesario.**

UN TE–LE–FO–NO

UNA BI–CI–CLE–TA

UN PLA–TA–NO

UN OR–DE–NA–DOR

UN PA–JA–RO

UNAS PE–LO–TAS

UN PAS–TEL

UN CA–RA–COL

UN PA–RA–GUAS

UNA MA–RI–PO–SA

Conoce a tus compañeros

¡Hola!
Me llamo Víctor,
¿y tú?

En esta unidad aprendes a...

- Saludar y despedirte.
- Decir y preguntar el nombre.
- Conocer a otras personas.
- Dar y preguntar el correo electrónico.
- Hablar del cumpleaños.

¡Hola!
¿Cómo te llamas?

Pista 5

El primer día de clase

Borja: ¡Hola! Me llamo Borja. Y tú, ¿cómo te llamas?
Paloma: Me llamo Paloma. ¿Y cuántos años tienes?
Borja: Doce, tengo doce años.
Paloma: Pues yo tengo trece años.
Borja: Mira... ¿Quién es?
Paloma: Es el profesor.
El profesor: ¡Hola, chicos, buenas tardes!
Todos: ¡Hola!
El profesor: Soy el profesor, me llamo José Farelo García. Voy a pasar lista. A ver... ¿Quién es Paloma Ruiz Sans?
Paloma: Soy yo.
El profesor: Hola, Paloma. ¿Y quién es Hugo?
Hugo: Soy yo.
El profesor: ¿Y tus apellidos, Hugo?
Hugo: López Brugueira.
El profesor: Muy bien, Hugo López Brugueira. Borja Colmenares...
Borja: Sí... Sí... ¡Soy yo!
El profesor: ¿Y tu segundo apellido?
Borja: Álvarez, Borja Colmenares Álvarez.
El profesor: ¿Quién es Marta García Treviño?

COMPRENDO

1 **Une las dos partes de cada frase.**

Las chicas se llaman •   • José.
Los chicos se llaman •   • Marta y Paloma.
Borja tiene •   • trece años.
Paloma tiene •   • Borja y Hugo.
El profesor se llama •   • doce años.

2 **Completa el recuadro.**

Nombre	Primer apellido	Segundo apellido
José	Farelo	
Paloma		
Hugo		
Borja		

PRACTICO Y AMPLÍO

3 SALUDAR Y DESPEDIRSE

 ¡Hola!

 ¡Hola! ¿Qué tal?

 Pista 6

Escucha e identifica la situación.

 ¡Buenos días!

 ¡Buenas tardes!

¡Buenas noches!

- ¡Adiós!
- ¡Hasta luego!

 ☐ a

 ☐ b

 ☐ c

 ☐ d

4 CONOCER A OTRAS PERSONAS

- Me llamo Luis. Y tú, ¿cómo te llamas?
- Me llamo Pilar.
- ¿Cuántos años tienes?
- Tengo trece años.
- ¿Dónde vives?
- Vivo en Toledo.

Adapta con tu compañero la conversación y completa su ficha.

El nombre
....
La edad
....
La ciudad
....

5 EL PRESENTE DE INDICATIVO

	LLAMARSE	SER	VIVIR	TENER
(yo)	me llamo	soy	vivo	tengo
(tú)*	te llamas	eres	vives	tienes
(él, ella, usted)	se llama	es	vive	tiene
(nosotros/as)	nos llamamos	somos	vivimos	tenemos
(vosotros/as)	os llamáis	sois	vivís	tenéis
(ellos/as, ustedes)	se llaman	son	viven	tienen

* En Argentina y Uruguay: (vos) te llamás   sos   vivís   tenés

A. Completa las frases con las formas en presente del verbo «llamarse».

1. Me .... Carlos.
2. Mis amigos se .... Pedro y Paloma.
3. ¿Cómo os ....?
4. ¿Cómo te ....?
5. Nos .... Laura y Carolina.
6. Se .... Tofi.

B. Escribe los pronombres sujeto.

1. me llamo (......................)
2. somos (......................)
3. tienes (......................)
4. viven (......................)
5. vivís (......................)
6. tiene (......................)
7. se llama (......................)
8. tenéis (......................)
9. son (......................)
10. vivimos (......................)
11. es (......................)
12. tienen (......................)

C. Localiza 10 formas en la cadena de verbos. Escribe las formas y el pronombre.

sois (vosotros, vosotras)

somostengovivesoistienevivoerestenemosvivessoy

---

6 IDENTIFICAR

Relaciona los datos con fantasía. Luego, habla con tu compañero para conocer a sus personajes.

¿Cuáles son los apellidos de Susana?

Santana Sarasola.

¿Cuántos años tiene?

Tiene doce años.

¿Dónde vive?

Vive en Guadalajara.

El nombre	La ciudad	Apellidos		La edad
1. Benito	a. Barcelona	Jacinto	Álvarez	1. 11
2. Susana	b. Guadalajara	Santana	Asís	2. 12
3. Ramona	c. Medellín	Martín	Berto	3. 13
4. Amadeo	d. Montevideo	Sarasola	Ramírez	4. 14
5. Agustín	e. Quito	Timoteo	Suárez	5. 15

PREGUNTAR Y DECIR EL NOMBRE

- ¿Cómo te llamas?
- Me llamo Eva, Eva García Gil. ¿Y tú?
- Pedro, Pedro Gómez Beltrán.

EL NOMBRE → | Eva | García | Gil |

LOS APELLIDOS

---

7 LOS INTERROGATIVOS

- ¿Quién **eres**?
- ¿Cómo **te llamas**?
- ¿Cuántos **años tienes**?
- ¿Cuántas **amigas tienes**?
- ¿Dónde **vives**?

- Soy José.
- Me llamo Marta.
- Tengo 12 años.
- Tengo 6.
- Vivo en Barcelona.

¿Cuántos + **nombre masculino plural**?
¿Cuántas + **nombre femenino plural**?

Las palabras interrogativas llevan un acento escrito.
Las frases interrogativas empiezan con ¿ y terminan con ?

Pista 7

Completa las preguntas con los interrogativos adecuados. Luego, escucha y escribe las respuestas.

1. • ¡Hola! ¿........................ te llamas?
2. • ¿........................ vive David?
3. • ¿........................ años tienes?
4. • ¿........................ es Julián?
5. • ¿........................ amigas tienes?

• ....
• ....
• ....
• ....
• ....

8

Presenta a tu compañero a la clase. Escucha a tus compañeros y toma nota de la información. Haz la lista de los nombres de la clase.

CTÚO

Conozco a mis compañeros de clase

 Aprende a pedir el correo electrónico

A. Escucha y lee.

Marta:	Oye, Teresa, ¿tienes correo electrónico?
Teresa:	Sí, claro.
Marta:	¿Y cuál es?
Teresa:	terehoz@hotmail.com.
Marta:	¿Cómo se escribe?
Teresa:	Te, e, erre, e, hache, o, zeta, arroba, hotmail, punto, com.
Marta:	Vale, gracias.

B. Completa la información sobre la amiga de Marta.

1. El apellido:
2. El correo electrónico:

 Empieza a deletrear

A. Escucha y repite el nombre de las letras.

Las vocales: a, e, i, o, u.

Las consonantes: be, ce, de, efe...

B. Deletrea tu apellido y anota el de tu compañero.

¿Cuál es tu apellido?

Ortiz.

¿Y cómo se escribe?

O, erre, te, i, zeta.

Teresa:
terehoz@hotmail.com

 **CÓDIGO <@>**

La agenda de clase
Anota los nombres, los apellidos y el correo electrónico de todos tus compañeros de clase.

¿Tienes un «blog»?

Irene participa en el «blog»

¡HOLA!
¡BIENVENIDOS A MI «BLOG»!

NOVIEMBRE

L	M	X	J	V	S	D
					1	2
3	4	5	6	7	8	9
10	11	12	13	14	15	16
17	18	19	20	21	22	23
24	25	26	27	28	29	30
31						

¿Quién soy?
Soy Irene Gómez Mantuano. Soy española, de Cantabria, y vivo en Santander. Tengo doce años y mi cumpleaños es el 29 de noviembre. Voy al instituto José María Pereda y mis asignaturas favoritas son Inglés y Francés porque escucho, hablo, leo y escribo en otras lenguas.

Mi día favorito de la semana es el domingo.

ARCHIVOS

- enero
- febrero
- marzo
- abril
- mayo
- junio
- julio
- agosto
- septiembre
- octubre
- noviembre
- diciembre

COMENTARIOS

Charly: ¡El sábado es tu cumpleaños! ¡Feliz cumpleaños!
Maaaagic: Mi día favorito de la semana es el martes.
Cyberstar: Mi día favorito de la semana es el sábado, no tengo clase.

COMPRENDO

1 Completa el cuadro sobre Irene.

Nombre	Ciudad	Edad	Cumpleaños	Asignaturas favoritas
Irene				

2 Contesta a las preguntas.

- ¿Qué idiomas estudia en el instituto?
- ¿Cuál es su día favorito de la semana?
- ¿Cuántos comentarios tiene?
- ¿Cuándo es su cumpleaños?

3 Observa el calendario del «blog» de Irene y completa la fecha.

Hoy es .... de ....

PRACTICO Y AMPLÍO

4 EL CUMPLEAÑOS

20	veinte	26	veintiséis
21	veintiuno	27	veintisiete
22	veintidós	28	veintiocho
23	veintitrés	29	veintinueve
24	veinticuatro	30	treinta
25	veinticinco	31	treinta y uno

A. Encuentra 10 meses. ¿Cuáles no están?

```
S E P T I E M B R E
L N A D I C E M A O
F E B R E R O A G J
R R R O M A R Z O U
J O I V M A Y O S N
J U L I O M A R T I
O C T U B R E S O O
```

B. Di un número, tu compañero lo escribe en letras.

24   veinticuatro

C. Pon en orden las fechas. Observa la foto. Todos los amigos están en el orden de su cumpleaños. Escribe las frases.

El cumpleaños de Rafa es el cinco de enero.

28/09
05/01
14/11
30/05
12/12

D. ¿Cuándo es tu cumpleaños? Habla con tu compañero y toma nota de su cumpleaños.

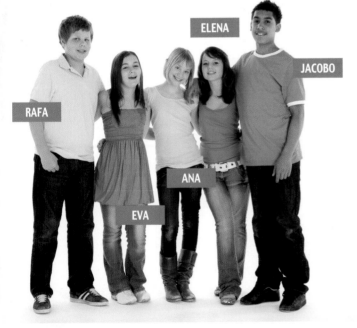

ELENA
JACOBO
RAFA
ANA
EVA

5 LOS POSESIVOS

	Singular	Plural
Yo	mi **cumpleaños**	mis **asignaturas favoritas**
Tú*	tu **cumpleaños**	tus **asignaturas favoritas**
Él, ella	su **cumpleaños**	sus **asignaturas favoritas**

* Tú = vos: tu/tus

Escribe los posesivos.

YO

1. .... amigos
2. .... instituto
3. .... ciudad
4. .... profesoras

TÚ

5. .... profesor
6. .... amigas
7. .... equipo de fútbol
8. .... compañeros

ÉL/ELLA

9. .... clase
10. .... apellidos
11. .... compañera
12. .... correo electrónico

PRACTICO Y AMPLÍO

6 LOS DÍAS DE LA SEMANA

Completa el calendario de este mes y di qué días so
lunes, martes...

¿Cuál es tu día favorito de la semana?

El jueves.

- lunes
- martes
- miércoles
- jueves
- viernes
- sábado
- domingo

7 EL MASCULINO Y EL FEMENINO

Son masculinas	Son femeninas
Las palabras terminadas en –o/–or: el amigo, el profesor.	Las palabras terminadas en –a/–ad: la lengua, la edad.
Excepción: la foto, la flor.	Excepciones: el día, el mapa.

Marca M (masculino) o F (femenino).

1. .... compañero
2. .... profesora
3. .... pregunta

4. .... chica
5. .... saludo
6. .... apellido

8 LOS ARTÍCULOS

Indeterminados	masculino	femenino
singular	un	una
plural	unos	unas

Determinados	masculino	femenino
singular	el	la
plural	los	las

Observa estas palabras y escribe «el/un», «la/una».

1. ..../.... conejo.
2. ..../.... colonia.
3. ..../.... videojuego.
4. ..../.... osito.
5. ..../.... sombrero.

6. ..../.... despertador.
7. ..../.... llavero.
8. ..../.... hucha.
9. ..../.... mochila.
10. ..../.... libro.

Actúo

Sé el día del cumpleaños de mis compañeros

9 Aprende los cumpleaños de tus compañeros y conoce sus regalos preferidos

A. Escucha y completa la frase.

El cumpleaños de Pablo es el ....

Los regalos de cumpleaños son:

- ....,
- ....,
- ....

B. Ahora, en grupos de 4: habla con tus compañeros y completa la ficha.

- David, ¿qué día es tu cumpleaños?
- El 15 de agosto.
- ¿Cuáles son tus 3 regalos preferidos?
- El videojuego, la...

Nombre	Cumpleaños	3 regalos
David	15 de agosto	el videojuego, la...

C. Informa a la clase del cumpleaños y de los regalos de tus compañeros.

- El cumpleaños de David es el 15 de agosto y sus regalos preferidos son un videojuego, una...

CÓDIGO <R>

Los regalos
¿Cuáles son los 2 regalos favoritos de la clase?

- ....,
- ....

¡Feliz cumpleaños!

EDUCACIÓN PARA LA CIUDADANÍA

Habla con otras personas cortésmente

Dices *tú* en situaciones informales y *usted* en situaciones formales.

Dices *tú* + verbo en 2.ª persona del singular	Dices *usted* + verbo en 3.ª persona del singular
• A un niño, o a un adolescente de tu edad. • A una persona de tu familia, adolescente o adulto, un hermano, tu padre…	• A un adulto que no es de tu familia: El padre de un amigo, una profesora, el entrenador de fútbol, la secretaria del instituto…

En el centro y norte de España, dices *vosotros* o *vosotras* [= *tú* + *tú* (+ *tú*…)] en situaciones informales y *ustedes* [= *usted* + *usted* (+ *usted*…)] en situaciones formales, pero en el sur de España y en Latinoamérica siempre dices *usted* (tanto formal como informal).

1

Observa a estas personas.
¿Qué tratamiento usas: *tú*, *vosotros*, *vosotras*, *usted* o *ustedes*?

Una profesora

Un amigo

Dos niñas

Dos amigas de tu abuela

Un policía

La madre y el abuelo de un amigo

La pastelera

Dos compañeros de clase

Una amiga

El padre de un amigo

2

Lee estas frases, ¿con quién hablas?

1
¡Hola! ¿Cómo te llamas?

A un nuevo amigo de clase.

2
¿Usted es la nueva profesora de Inglés?

....
....

3
¿Cuántos años tenéis?   Doce.

....
....

4
¿Tienes un «blog»?

....
....

5
¿Tenéis correo electrónico?

....
....

6
¿Cómo se llaman?

....
....

7
¡Buenas tardes!, ¿tienen pasteles de chocolate?

....
....

ESPACIO INTERDISCIPLINAR

¡ME GUSTA LA GEOGRAFÍA!

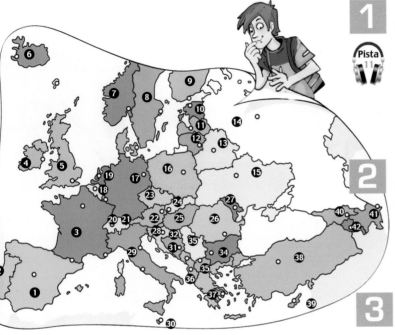

1 ESCUCHA Y LEE EL NOMBRE DE LOS PAÍSES.

Pista 11

Alemania	Bélgica
España	Francia
Grecia	Italia
Portugal	Reino Unido
Suiza	Holanda

2 OBSERVA EL MAPA Y ESCRIBE EL NÚMERO CORRESPONDIENTE EN TU CUADERNO.

Alemania: 17.

3 ¿QUÉ PAÍS ES? ESCRIBE EL NOMBRE.

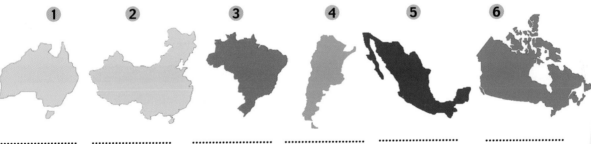

① ② ③ ④ ⑤ ⑥

....

Australia
Argentina
Brasil
Canadá
China
México

4 ESCRIBE LAS NACIONALIDADES.

1. Johann Sebastian Bach es un músico ....
2. Lisboa es la capital ....
3. La libra esterlina es la moneda ....
4. Leonardo da Vinci es un pintor ....
5. La Acrópolis de Atenas es un monumento ....
6. Bruselas es la capital ....
7. La Torre Eiffel es un monumento ....
8. Barcelona es una ciudad ....
9. Berna es la capital ....
10. Brasilia es la capital ....
11. La hoja de arce es el símbolo ....

LAS NACIONALIDADES

	masculino	femenino
Alemania	alemán	alemana
Bélgica	belga	belga
Brasil	brasileño	brasileña
Canadá	canadiense	canadiense
España	español	española
Francia	francés	francesa
Grecia	griego	griega
Italia	italiano	italiana
Portugal	portugués	portuguesa
Reino Unido	británico	británica
Suiza	suizo	suiza

Comunicación

Saludar y despedirme

1. Escribe los saludos y las despedidas.

①  ②  ③  ④

....

Pedir y dar información personal

2. Escribe las respuestas.

–Hola, soy Juan, y tú, ¿cómo te llamas? ....

–¿Cuántos años tienes? ....

–¿Dónde vives? ....

–¿Qué día es tu cumpleaños? ....

–¿Eres española? ....

–¿Qué idiomas estudias en el instituto? ....

–¿Cuál es tu día favorito de la semana? ....

Gramática

El presente de indicativo

3. Escribe las siguientes formas de estos verbos.

- Usted   ser   ....   llamarse ....
- Vosotras   vivir   ....   escribir ....
- Yo   estudiar ....   tener   ....
- Tú   llamarse ....   vivir   ....
- Ustedes   leer   ....   ser   ....
- Él   escribir ....   hablar   ....
- Ellas   tener   ....   leer   ....

Los interrogativos

4. Escribe los interrogativos.

¿................ se llama el profesor?   ¿................ viven Juan y Lucía?

¿................ años tiene Pedro?   ¿................ son tus meses favoritos?

¿................ idiomas habla Elena?   ¿................ eres? –Mexicana.

La frase negativa

5. Marca si son afirmativas (A) o negativas (N).

	A	N
Vivimos en Mallorca.	☐	☐
Julián no tiene 13 años.	☐	☐
Usted no es italiano.	☐	☐
Hablas inglés.	☐	☐

Los artículos

6. Clasifica estas palabras.

• amiga • profesor • nombre • ciudad • semana • equipo
• instituto • cumpleaños • chico • mariposa • profesora • capital • edad

• El

• La

7. Escribe las palabras con los artículos un o una.

1. ....

2. ....

3. ....

4. ....

5. ....

6. ....

7. ....

8. ....

9. ....

Léxico

Los números del 16 al 31

8. Escribe estos números con letras.

• 17 ....
• 21 ....
• 28 ....
• 19 ....
• 26 ....
• 31 ....

Los meses del año y los días de la semana

9. Completa el nombre de los meses con las vocales que faltan.

__N__R__ / F__BR__R__ / M__RZ__ / __BR__L / M__Y__ / J__N__ __ / J__L__ __ / __G__ST__
S__PT__ __MBR__ / __CT__BR__ / N__V__ __ MBR__ / D__C__ __ MBR__

10. Rodea los nombres de los días de la semana.

NÚMEROLUNESAOMARTESTREINTAMIÉRCOLESGEOGRAFÍABLOGJUEVESNACIONALIDADMESVIERNESSÁBADOEU-
ROPADÓNDEDOMINGOMAPA

LEO 1. Completa el texto con las palabras de la lista.

| Liverpool | mayo | francesa | tienen | español | febrero | cumpleaños | vive | griego | 22 |

Paola, John, Caroline y Dimitri son cuatro estudiantes de ...., como tú. Los cuatro .... 11 años. Paola es italiana y .... en Milán, su .... es el 14 de noviembre. John es británico y vive en ...., su cumpleaños es el .... de agosto. Caroline es .... y vive en París, su cumpleaños es el 26 de .... Dimitri es .... y vive en Atenas, su cumpleaños es el 31 de ....

2. Ordena cronológicamente a los 4 estudiantes por su fecha de cumpleaños.

ESCUCHO Elena te presenta a los amigos extranjeros de su «blog». Escucha y relaciona la información. Atención, en cada columna hay 2 intrusos.

Pista 12

Nombre	País	Edad	Cumpleaños
María	Alemania	12 años	25/04
Carlos	Bélgica	10 años	20/03
Marco	Portugal	11 años	21/12
David	Francia	14 años	15/05
Marta	Grecia	15 años	15/11
Laura	Italia	13 años	20/01

ESCRIBO Confecciona tu «blog». Copia el modelo en tu cuaderno y escribe las frases. Completa con tus datos.

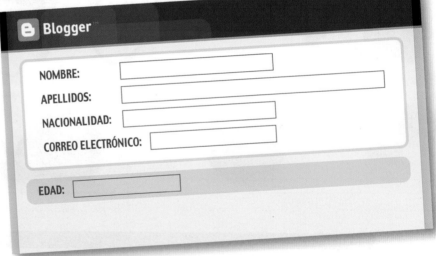

Blogger

NOMBRE:

APELLIDOS:

NACIONALIDAD:

CORREO ELECTRÓNICO:

EDAD:

HABLO Habla con tu compañero y completa las fichas.

A
- Nombre: Marta
- Cumpleaños: 08/12
- Ciudad: ....

- Nombre: José
- Cumpleaños: ....
- Ciudad: Sevilla

- Nombre: Alicia
- Cumpleaños: 28/02
- Ciudad: ....

¿Dónde vive Marta?

¿Qué día es el cumpleaños de Marta?

B
- Nombre: Marta
- Cumpleaños: ....
- Ciudad: Madrid

- Nombre: José
- Cumpleaños: 15/06
- Ciudad: ....

- Nombre: Alicia
- Cumpleaños: ....
- Ciudad: Salamanca

Describe tu instituto

Estamos en el comedor del instituto.

En esta unidad aprendes a...

- Describir los materiales de clase.
- Hablar de las asignaturas.
- Situar objetos.
- Indicar la existencia.
- Mencionar las actividades.

3 ¿Qué llevas en la mochila?

Los materiales de clase

Marta:	A ver… una mochila, ¿dónde están las mochilas?
La madre:	¡Aquí!, están al lado de los libros.
Marta:	¡Qué bonitas! Necesito también tres cuadernos, una regla y un estuche.
La madre:	¿Un estuche? Tienes dos en casa.
Marta:	Sí, vale, vale.
La madre:	¿Y una goma, no necesitas una goma?
Marta:	No, tengo cuatro, pero para la clase de Plástica necesito dos bolígrafos, unas tijeras, un lápiz y siete rotuladores.
La madre:	¿Y una calculadora para los ejercicios de Matemáticas?
Marta:	No, calculadora no. Ah, también unos archivadores.
La madre:	¿Cuántos?
Marta:	Dos, uno para la clase de Geografía y otro para la clase de Francés, mi asignatura favorita.
La madre:	Bueno, ¿ya está?
Marta:	Sí… ¡No, no! Necesito también una barra de pegamento.

COMPRENDO

1 ¿Verdadero o falso? Marta y su madre compran…

	V	F
una mochila	☐	☐
libros	☐	☐
tres cuadernos	☐	☐
dos reglas	☐	☐
un estuche	☐	☐
cuatro gomas	☐	☐
dos bolígrafos	☐	☐
unas tijeras	☐	☐
un lápiz	☐	☐
cinco rotuladores	☐	☐
una calculadora	☐	☐
dos archivadores	☐	☐
una barra de pegamento	☐	☐

PRACTICO Y AMPLÍO

2 IDENTIFICAR OBJETOS

¿Qué es?

Es un libro./Es una regla. Son unas tijeras./Son unos libros.

Habla con tu compañero.

- La casilla B3, ¿qué es?
- Es un archivador. Y la casilla A2, ¿qué es?
- Es una…

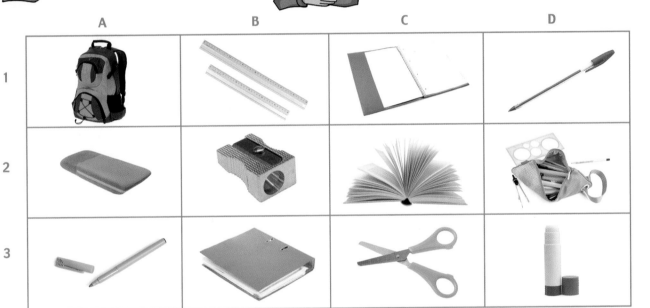

	A	B	C	D
1				
2				
3				

3 EL PLURAL

SINGULAR	PLURAL
Terminadas en vocal: chica, nombre, equipo	+ –s: chicas, nombres, equipos
Terminadas en consonante: ordenador, ciudad	+ –es: ordenadores, ciudades
Terminadas en –z: lápiz	> –ces: lápices

el sacapuntas > los sacapuntas/el cumpleaños > los cumpleaños
la barra de pegamento > las barras de pegamento
las tijeras: siempre en plural

Pista 14

A. Escucha y escribe las palabras en plural.

....
....
....

Pista 15

B. Escucha a Juan, ¿qué lleva en la mochila y en el estuche?
Relaciona con una flecha. Hay 3 intrusos.

3 cuadernos   mochila   1 lápiz
1 archivador   2 libros
1 calculadora   1 regla
1 goma   estuche   1 sacapuntas
                                      tijeras

PRACTICO Y AMPLÍO

4 · ASIGNATURAS FAVORITAS

¿Cuál es tu asignatura favorita?

La Tecnología.

A. Escribe la asignatura favorita de cada compañero de Marta.

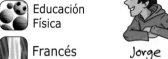

Jorge   Elena   Marta   Inés

La asignatura favorita de Elena es el Inglés.

 Lengua Castellana y Literatura

 Educación Física

 Matemáticas

 Francés

 Geografía

Tecnología

Historia

 Música

Ciencias de la Naturaleza

Educación Plástica y Visual

Inglés

B. Y tú, ¿tienes las mismas asignaturas que Marta? ¿Cuál es tu preferida?

C. ¿Qué materiales necesitas para la clase de...?

Para la clase de Inglés necesito un cuaderno y también un diccionario.

5 · LOCALIZAR EN EL ESPACIO

¿Dónde está mi libro?

Está sobre la mesa.

LA GOMA ESTÁ...

detrás de   delante de   debajo de   sobre

al lado de   entre

¿Dónde está el lápiz?

1. ....

2. ....

3. ....

4. ....

5. ....

6. ....

7. ....

ACTÚO

Describo mi mesa

6 Tu escritorio

Observa la mesa de Raúl y di una frase. Tus compañeros dicen si es verdad o mentira.

La mochila está detrás del ordenador.

Es verdad.

CÓDIGO <S>

Las similitudes
Describe tu mesa de trabajo. Luego, compara con tu compañero: ¿tenéis las mismas cosas?

Hablo de las asignaturas y de las notas

7 Tus mejores notas

A. Observa el sistema de notas en España.

0 – 4	Insuficiente
5	Suficiente
6	Bien
7 – 8	Notable
9 – 10	Sobresaliente

B. Observa las notas de Raúl y forma frases, como en el ejemplo.

En Música tiene un insuficiente.

BOLETÍN DE NOTAS

Música:	3	Educación Física:	6
Francés:	4,5	Historia:	2
Inglés:	5	Matemáticas:	4
Tecnología:	8	Ciencias de la Naturaleza:	7
Geografía:	9	Educación Plástica y Visual:	3,5

CÓDIGO <N>

Tus notas
Y tú, ¿en qué asignaturas sacas las mejores notas?

La web del Instituto Lope de Vega

Instituto Lope de Vega

Somos un pequeño centro con:
- 25 aulas (en el aula de idiomas, hay ordenadores conectados a Internet y una pizarra digital)
- 2 patios, para jugar al fútbol o al baloncesto
- 1 biblioteca con muchos libros
- 1 gimnasio para hacer deporte
- 1 pequeño comedor (los alumnos comen con los profesores)
- 1 cafetería abierta durante el recreo

Actividades

Las actividades extraescolares del centro:
- Fomento de la lectura: leer y comentar libros.
- Internet: cómo buscar información segura.
- Intercambio con institutos ingleses y franceses: taller para escribir, escuchar diálogos, ver la tele inglesa y francesa y hablar por videoconferencia con los alumnos extranjeros.
- Actividades deportivas: hacer gimnasia o yudo, jugar al baloncesto o al fútbol.

a

b

c

e

d

f

COMPRENDO

1 Contesta a las preguntas.

- ¿Qué deportes extraescolares practican?
- ¿Con quién comen los alumnos?
- ¿Qué hacen en el taller de idiomas?

2 Relaciona los espacios con las fotos.

- Aula de idiomas ☐
- Patio ☐
- Biblioteca ☐
- Gimnasio ☐
- Cafetería ☐
- Comedor ☐

PRACTICO Y AMPLÍO

3 LAS ACTIVIDADES DE AULA

Pista 16

A. Escucha y marca las actividades preferidas de Beatriz.

¿Qué haces en clase de Inglés?

Hablar, leer, ver vídeos, escribir... Y escuchar canciones...

- [ ] Hablar con el profesor y los compañeros.
- [ ] Escribir textos.
- [ ] Leer textos.
- [ ] Escuchar canciones, diálogos, conversaciones.
- [ ] Ver DVD y vídeos.
- [ ] Hacer ejercicios de vocabulario, de gramática.
- [ ] Jugar con los compañeros.
- [ ] Buscar información en Internet.
- [ ] Navegar por Internet.

B. ¿Cuáles son tus 4 actividades preferidas?

1. ....
2. ....
3. ....
4. ....

4 EL PRESENTE DE INDICATIVO

- **hablar, pasear, explicar, estudiar, escuchar, buscar, navegar**
- **comer, beber, leer**
- **escribir**

Son verbos regulares.

	VER	HACER	JUGAR
(yo)	veo	hago	juego
(tú)*	ves	haces	juegas
(él, ella, usted)	ve	hace	juega
(nosotros, nosotras)	vemos	hacemos	jugamos
(vosotros, vosotras)	veis	hacéis	jugáis
(ellos, ellas, ustedes)	ven	hacen	juegan
*(vos)	ves	hacés	jugás

Pista 17

A. Escucha estas 10 formas verbales e indica el pronombre sujeto y el infinitivo, como en el ejemplo.

1.	2.	3.	4.	5.
nosotros, ver				

6.	7.	8.	9.	10.

B. Completa con los verbos en presente, como en el ejemplo.

1. Lucas y Elena (comer) ....comen..... un bocadillo y (beber) .... un zumo de naranja.
2. (Escuchar, yo) .... música en el patio o (leer) ....
3. (Escribir, vosotros) .... SMS.
4. El profesor (explicar) .... la lección en la pizarra digital.
5. (Escribir, nosotros) .... en la pizarra.
6. (Hablar, tú) .... con un amigo.
7. Antonio (estudiar) .... en la biblioteca y (buscar) .... información en Internet.
8. Los alumnos (pasear) .... por el instituto.
9. (Jugar, yo) .... al fútbol.
10. Y tú, ¿qué (hacer) .... en el recreo?

a + el > al

PRACTICO Y AMPLÍO

5 · INDICAR LA EXISTENCIA

Concurso de observación: ¿Quién encuentra má
objetos en esta aula en 2 minutos?

- Hay una pizarra digital.
- Hay un ordenador.
- Hay un...

¿Qué hay en el aula?

Hay una pizarra digital.

1. la mesa del profesor
2. el pupitre
3. la silla
4. la puerta
5. la ventana
6. la pizarra digital
7. la papelera
8. los libros
9. el estante
10. la calefacción
11. el ordenador
12. la calculadora
13. la planta
14. el póster

6 · OPOSICIONES «HAY/ESTÁ(N)»

«HAY»: PARA INDICAR LA EXISTENCIA	«ESTAR»: PARA SITUAR EN EL ESPACIO
Se usa con uno, una, un, dos, tres...	Se usa con el, la, los, las, los posesivos...

- ¿Cuántas ventanas hay en el aula?
- Hay una/dos/tres...

- ¿Dónde están los alumnos?
- Los alumnos están en el patio.

- ¿Cuántos libros hay sobre la mesa?
- Hay uno/dos/tres...

- ¿Dónde están tus compañeros?
- Mis compañeros están en el comedor.

- ¿Qué hay en el aula?
- Hay un estante, dos ventanas...

- ¿Estáis en el gimnasio?
- No, estamos en el aula de idiomas.

Completa las frases con «hay» o «estar» en la forma correcta.

1. ¿Dónde .... el rotulador de Maite?
2. En el aula de Francés .... 15 ordenadores.
3. Mis libros .... en mi mochila.
4. En mi instituto .... una biblioteca muy grande.
5. Marina y José .... en el patio.
6. ¿Dónde (tú) ....? – .... en el comedor, con mis compañeros.
7. .... dos gatos en el árbol del patio.
8. La profesora .... delante de la pizarra.
9. (Nosotros) .... en el gimnasio, tenemos Educación Física.
10. ¿Cuántas ventanas .... en el aula?

ACTÚO

Conozco las actividades del recreo de mis compañeros

7

Natalia habla de las actividades de sus compañeros en el recreo

A. Observa las ilustraciones y completa su texto con los verbos adecuados. Luego, escucha y comprueba.

Pista 18

En el recreo, mis compañe-ros hacen muchas actividades. Raúl y sus amigos (1) .... al baloncesto. Marta (2) .... música en su MP3. Laura (3) .... por el patio. Belén y Pilar (4) .... en la biblioteca. Alicia (5) .... por Internet. Marcos (6) .... si tiene un examen. Beatriz (7) .... un libro y Julia (8) .... su diario.

Pista 19

B. Escucha a Óscar e indica los intrusos, como en el ejemplo.

Óscar no escucha música.

C. En grupos de 4: haz una encuesta a tus compañeros: ¿Qué haces en el recreo? Indica 3 actividades que realizas y 2 que no. Anota las respuestas.

Laura, ¿qué haces en el recreo?

En el recreo hablo con las compa-ñeras... No juego al fútbol...

Laura	– Habla con las compañeras. – .... –	– No juega al fútbol. – ...

Extensión digital

www.edelsa
Zona estudiante

Participa en la comunidad de Código ELE
BLOG
Describe tu instituto.
Mira la página 32.

CÓDIGO <A>

Las actividades
Ahora, presenta los resultados a la clase. ¿Cuál es la actividad favorita de la clase?

EDUCACIÓN PARA LA CIUDADANÍA

La convivencia en el centro escolar

1

Observa las ilustraciones. ¿Está bien o está mal?

① ② ③

④ ⑤ ⑥

2

Lee las frases, relaciona cada una con la imagen correspondiente del ejercicio anterior y di si está «bien» o «mal».

	B	M
- La chica toma, sin permiso, la regla de su compañero.	☐	☐
- El chico come y bebe en la biblioteca.	☐	☐
- El chico juega con la calculadora y no escucha al profesor.	☐	☐
- Los chicos se saludan.	☐	☐
- El chico tira un papel al suelo.	☐	☐
- El chico corre dentro del colegio.	☐	☐

3

Hablas con educación
Completa las frases con las palabras del recuadro.

> por favor, gracias, perdone (para el profesor)/perdona (para el compañero)

Hablas con tu profesor de español.
- ...., no entiendo. ¿Puede repetir?
- ¿Qué significa «abuelo», ...?
- ...., ¿cómo se escribe «100» en español?

Hablas con tu compañero:
- ...., ¿tienes un sacapuntas?
- Sí.
- ¿Me lo prestas, ...?
- ¡Claro!
- ....

ESPACIO INTERDISCIPLINAR

¡ME GUSTA LA EDUCACIÓN PLÁSTICA!

1 OBSERVA.

LOS COLORES	
MASCULINO	FEMENINO
amarillo / amarillos	amarilla / amarillas
blanco / blancos	blanca / blancas
negro / negros	negra / negras
rojo / rojos	roja / rojas

verde / verdes
marrón / marrones
azul / azules
gris / grises
rosa / rosas
naranja / naranjas
violeta / violetas

2 DI UN NÚMERO, LA CLASE DICE LOS COLORES DE LA ESTRELLA Y DEL CÍRCULO.

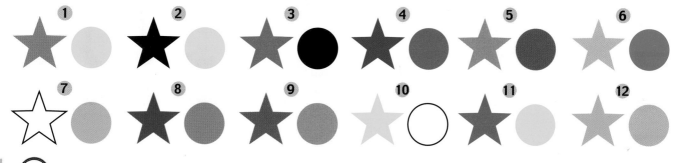

3 ESCUCHA Y PINTA EL CÍRCULO DEL COLOR INDICADO.

4 ENSEÑA OBJETOS A TUS COMPAÑEROS. ELLOS CONTESTAN, COMO EN LOS EJEMPLOS.

¿Qué es?
Un sacapuntas verde.

¿Qué es?
Un estuche amarillo.

AHORA YA SÉ

Identificar objetos

1. Contesta a la pregunta, como en el ejemplo.

¿Qué es?      Es un libro.

1. .... 2. .... 3. .... 4. .... 5. ....

Decir su asignatura favorita

2. ¿Cuál es la asignatura favorita de cada alumno?

| Elena | Eva | Jorge | Luis | Beatriz | Rafael |

Hablar de las actividades del instituto

3. Relaciona con flechas y forma 10 frases.

1. Natalia habla
2. El profesor escribe
3. En clase de Inglés, escuchamos
4. Haces un ejercicio
5. En el aula de informática, navegamos
6. ¿Leéis poesías
7. Los alumnos ven
8. En la biblioteca, Julia busca
9. En el patio, jugamos
10. Comes un bocadillo

a. canciones.
b. información en una enciclopedia.
c. al baloncesto.
d. en la cafetería.
e. en clase de Francés?
f. con el profesor de Inglés.
g. de gramática.
h. un texto en la pizarra.
i. por Internet.
j. un vídeo.

El plural

4. Pon las palabras en plural, como en el ejemplo.

el cuaderno   ....los cuadernos...........

1. el lápiz   ....
2. el archivador   ....
3. la alumna   ....
4. la nacionalidad ....
5. el sacapuntas   ....

6. la canción   ....
7. el bolígrafo   ....
8. el estuche   ....
9. el móvil   ....
10. el sombrero   ....

Los colores: el género y el número
5. Escribe el color de cada objeto, como en el ejemplo.

El libro es ■ .... *azul* ....

1. Los cuadernos son ■ ....
2. La mochila es ■ ....
3. La hucha es ■ ....
4. Los gatos son ■ ....
5. El pupitre es ■ ....

6. El sombrero es ■ ....
7. Los ratones son □ ....
8. Los llaveros son ■ ....
9. La puerta es ■ ....
10. Las sillas son ■ ....

Las expresiones de lugar
6. ¿Dónde están los animales?

El pájaro

El hámster

El ratón

1. ....
2. ....
3. ....

El conejo

El perro

El gato

4. ....
5. ....
6. ....

«Hay/está(n)»
7. Completa con hay, está o están.

En el patio del instituto ......*hay*...... 3 árboles.

1. El profesor .... en el aula.
2. La profesora .... a la derecha de la pizarra.
3. La ventana .... enfrente de la puerta.
4. ¿Cuántos alumnos .... en la biblioteca?
5. ¿En tu instituto .... un comedor?
6. El móvil .... detrás del estuche.
7. Las mochilas .... debajo de los pupitres.
8. ¿Qué .... sobre la mesa del profesor?
9. En el aula 9 .... tres ventanas verdes.
10. ¿Dónde .... el archivador amarillo?

El presente
8. Pon los verbos en presente.

hablar, yo .... *hablo* ....

1. escribir, nosotros ....
2. ver, tú ....
3. leer, vosotros ....
4. comer, Julián ....
5. jugar, ellos ....
6. escribir, tú ....
7. hacer, yo ....
8. comer, Ud. ....
9. escuchar, Beatriz ....
10. ver, yo ....

Léxico

Las asignaturas
9. Separa las palabras.

educaciónplásticayvisualcienciasdelanaturalezaingléslenguacastellanayliteratura
matemáticasgeografíahistoriafrancésmúsicatecnologíaeducaciónfísica

El instituto y el aula
10. Clasifica las palabras.

• la mesa del profesor • el ordenador • la cafetería • el comedor • la ventana • el gimnasio • la pizarra digital
• el profesor • el diccionario • la biblioteca • la silla • el patio • la puerta • la papelera • el alumno • el estante
• el pupitre • la alumna • el aula

Personas	Lugares	Objetos para estudiar	Muebles	Elementos del aula

Preparo mi examen

LEO 1. Lee el texto.

Hola, me llamo Andrés y estoy en primero de la ESO. Mi aula de idiomas es grande, tiene dos puertas y tres ventanas. La mesa del profesor es marrón y está a la izquierda de la pizarra digital. A la derecha de la mesa del profesor hay un ordenador. Los pupitres y las sillas de los alumnos son verdes. Sobre mi mesa hay un libro, un cuaderno, bolígrafos y una regla. Mi mochila está debajo de mi silla.

2. Observa la ilustración y localiza los 4 errores. ¿Cuál es la mesa de Andrés?

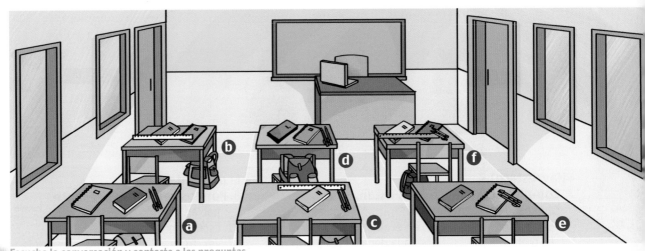

ESCUCHO Escucha la conversación y contesta a las preguntas.

1. ¿Cuántas personas hablan?
2. ¿Cómo se llaman?
3. ¿Dónde están?
4. ¿Qué hacen?

5. ¿Cuál es la asignatura favorita de Lucas?
6. ¿Qué hace Pedro los martes, después del recreo?
7. ¿Quién es Patricia?
8. ¿Cuándo tienen Pedro y Patricia un examen de Inglés?

ESCRIBO Chatea con un nuevo amigo español. Contesta a sus preguntas.

1. ¿En qué curso estás?
2. ¿Cómo se llama tu instituto?
3. ¿Qué hay en tu instituto?
4. ¿Cuántas horas de clase tienes por semana?

5. ¿Cómo se llama tu profesor de español?
6. ¿Cuál es tu asignatura favorita?
7. ¿Cuántos alumnos hay en tu clase?
8. ¿Qué haces en el recreo?

HABLO Habla con tu compañero y escribe en tu cuaderno el nombre de los objetos.

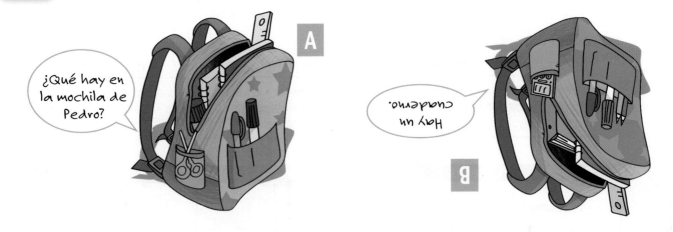

Presenta a tu gente

> Mira, esta es mi familia: mis padres, mis hermanos, mi hermana y yo.

En esta unidad aprendes a...

- Hablar de los miembros de tu familia.
- Utilizar los posesivos.
- Describir a las personas por su aspecto y por su personalidad.
- Expresar tus gustos.

5 Fotos de familia

Las fotos de familia

Gemma: Abuelo, ¿eres tú en la foto?
El abuelo: Sí, con tu abuela Lola.
Gemma: ¡Qué guapa! Me gusta mucho la foto.
El abuelo: Mira, otra foto, en el salón.
Gemma: A ver, a ver...
El abuelo: El día de mi cumpleaños. Tu padre,
tu madre...
Gemma: ¿Y la mujer detrás de papá es la tía Alicia?
El abuelo: Sí, con tu tío y con tu prima Elena.
Gemma: Y el bebé, ¿soy yo?
El abuelo: No, es tu hermano Javier.
Gemma: Y yo... ¿Dónde estoy?
El abuelo: Espera, espera... Mira, estás aquí.
Gemma: Esta foto también me gusta.
El abuelo: Toma, para ti las dos.

COMPRENDO

1 Observa el árbol genealógico y complétalo.

| El abuelo Sergio | .... Lola |
| La tía .... | La madre Pilar | El padre Pablo |
| .... Manuel |
| El primo Carlos | La prima .... | El hermano .... | GEMMA |

2 Completa las frases.

1. Lola es la abuela de ...., ..., ... y ....
2. La madre de Gemma se llama .... y es la .... de Alicia.
3. Javier tiene 2 primos, se llaman .... y ....
4. Sergio es el padre de .... y ....

3 Relaciona las 3 partes de cada frase. Puedes formar 9 frases.

a. la hermana de
b. la sobrina de
1. Lola es   c. la madre de
2. Javier es   d. el hermano de   I. Gemma
3. Alicia es   e. la abuela de   II. Pilar
4. Elena es   f. la prima de
5. Pablo es   g. el padre de
                      h. el hijo de
                      i. la tía de

LA FAMILIA

Los abuelos: el abuelo, la abuela
Los padres: el padre, la madre
Los hermanos: el hermano, la hermana

El tío, la tía
El primo, la prima

PRACTICO Y AMPLÍO

4 — HABLAR DE LA FAMILIA

¿Cuántos hermanos tienes?

No tengo, soy hijo único (hija única).

¿Cómo se llama tu padre?

Antonio.

¿Dónde viven tus abuelos?

Viven en Vitoria.

Pista 23

Escucha a José y corrige los 5 errores.

• Su madre no se llama Carmen, se llama Amelia.

1. Sus padres se llaman Carlos y Carmen.
2. Sus abuelos viven en Barcelona y en Granada.
3. Tiene 5 tíos y 6 tías.
4. Tiene 8 primos y 4 primas.
5. Tiene 1 hermano y 1 hermana.
6. El cumpleaños de su hermano es el 16 de enero.
7. Su cumpleaños es el 25 de marzo.

5

LOS ADJETIVOS POSESIVOS

	MASCULINO	FEMENINO
yo	mi **hermano** mis **hermanos**	mi **hermana** mis **hermanas**
tú, vos	tu **abuelo** tus **abuelos**	tu **abuela** tus **abuelas**
él, ella, usted	su **sobrino** sus **sobrinos**	su **sobrina** sus **sobrinas**
nosotros/as	nuestro **tío** nuestros **tíos**	nuestra **tía** nuestras **tías**
vosotros/as	vuestro **primo** vuestros **primos**	vuestra **prima** vuestras **primas**
ellos/as, ustedes	su **nieto** sus **nietos**	su **nieta** sus **nietas**

Escribe frases, como en el ejemplo.

Mi cuaderno, mis...

Yo

Tú

Ellos

Vosotros

Él

Nosotros

6 — EL PLURAL

Palabras terminadas en –ón/–ín > –ones/–ines
El acento escrito desaparece.

el balcón, el jardín > los balcones, los jardines

Escribe el plural o el singular.

1. la lección   ....
2. el ratón   ....
3. los salones   ....
4. los calcetines   ....
5. la ilustración   ....
6. los camiones   ....
7. marrón   ....
8. el delfín   ....

7 EXPRESAR GUSTOS

(A mí)	me		
(A ti, vos)	te	gusta	el cine/la música/leer
(A él, ella, usted)	le		
(A nosotros/as)	nos		las fresas
(A vosotros/as)	os	gustan	los perros
(A ellos, ellas, ustedes)	les		

Acuerdo	• Me gustan los perros.	• A mí también.
	• No me gusta leer.	• A mí tampoco.
Desacuerdo	• Me gustan los perros.	• A mí no.
	• No me gusta leer.	• A mí sí.

A. Completa las frases con «gusta» o «gustan».

1. ¿Te .... escuchar música?

2. A ellos no les .... los ratones.

3. A mí me .... el chocolate.

4. A Sonia no le .... la piña.

5. A usted le .... las serpientes.

6. A nosotros nos .... comer *pizza*.

7. A Pedro le .... las patatas fritas.

8. A ti no te .... las arañas.

9. A mí me .... beber zumo.

10. A vosotros no os .... el circo.

11. A usted le .... los caramelos.

12. A Cristina le .... las galletas.

 B. Escucha y marca la casilla correcta: a = le gusta(n), b = no le gusta(n). Luego, forma 6 frases, como en el ejemplo.

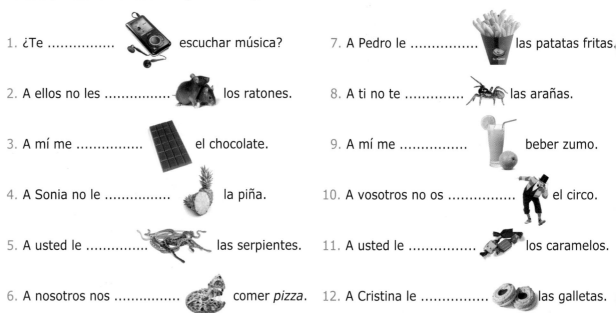

> A Natalia le gusta ver la tele.

a. ☐ b. ☐

a. ☐ b. ☐

a. ☐ b. ☐

a. ☐ b. ☐

a. ☐ b. ☐

a. ☐ b. ☐

a. ☐ b. ☐

C. Completa el cuadro con cuatro cosas o actividades en cada casilla. Luego, compara tus gustos con los de tu compañero.

Me gusta	No me gusta	Me gustan	No me gustan

> Me gusta ir al cine. ¿Y a ti, Cristina?

> A mí también.

 **ACTÚO**

Descubro cómo son las familias de mis compañeros

 8

Fíjate en las preguntas

A. Observa.

HACER PREGUNTAS
• ¿Cómo se llama tu padre? • ¿Dónde viven tus abuelos? • ¿Cuándo es tu cumpleaños? • ¿Cuántos hermanos tienes?

¿«CUÁNTOS/CUÁNTAS»?
¿«Cuántos» + nombre masculino plural? ¿Cuántos libros tienes? ¿«Cuántas» + nombre femenino plural? ¿Cuántas hermanas tienes?

B. Contesta a las preguntas.

1. ¿Cómo se llaman tus padres?
....

2. ¿Cuántos hermanos tienes?
....

3. ¿Cuántas primas tienes?
....

4. ¿Tienes tíos o tías? ¿Cuántos?
....

5. ¿De dónde son tus abuelos?
....

 9

Conoce la familia de tus compañeros y sus gustos

A. Ahora, habla con tus compañeros y anota sus respuestas. Después, contesta a estas preguntas.

• ¿Quién tiene más primos?
• ¿Quién tiene más hermanos?
• ¿Quién tiene una familia más grande?

B. Compara tus gustos con los de tus compañeros.

• David, ¿a tu hermano le gusta ver la tele?
• Sí, ¿y a ti?
• A mí también.

ADVERBIOS DE CANTIDAD	
Mucho	Me gusta mucho el fútbol.
Poco	Me gusta poco leer.
Nada	No me gusta nada ver la tele.

 **CÓDIGO <F>**

La familia
Escribe un informe sobre las familias de tu clase.

6 Cuestión de personalidad

Me gusta el teatro

El club de teatro del instituto prepara una obra sobre la vida de una familia española y busca alumnos para representar el papel de Borja y Esther, en tu clase. Lee el texto e infórmate.

Club de teatro

OFERTAS DE EMPLEO

Se busca para obra de teatro

Chico
- Moreno o castaño con el pelo corto y rizado.
- Estatura: alto, entre 1,55 y 1,65 metros.
- Ojos marrones o negros.

Chica
- Rubia o castaña con el pelo largo y liso.
- Estatura: baja, entre 1,45 y 1,53 metros.
- Ojos marrones, verdes o azules.

Carmela es la abuela. Tiene 68 años. Le gusta la música clásica.

Víctor es el padre. Tiene 47 años. Le gusta el deporte.

Alfonso es el abuelo. Tiene 73 años. Le gustan los animales.

Elvira es la madre. Tiene 42 años. Le gusta el cine.

COMPRENDO

1 **Identifica quién es.**

1. Tiene setenta y tres años. ....
2. Tiene cuarenta y siete años. ....
3. Tiene sesenta y ocho años. ....
4. Tiene cuarenta y dos años. ....

2 **¿Verdadero o falso?**

	V	F
1. El abuelo tiene el pelo liso.	☐	☐
2. La abuela es alta.	☐	☐
3. La madre es castaña.	☐	☐

	V	F
4. El padre tiene el pelo rizado.	☐	☐
5. La madre tiene el pelo largo.	☐	☐
6. El abuelo tiene barba.	☐	☐

PRACTICO Y AMPLÍO

3 DESCRIBIR PERSONAS

A. Lee este diálogo. ¿Quién es el abuelo?

- ¿Cómo es tu abuelo?
- Tiene los ojos marrones.
- ¿Cómo tiene el pelo?
- Tiene el pelo corto, blanco y un poco rizado.
- ¿Y lleva barba?
- No.
- ¿Y gafas?
- No, tampoco. Lleva bigote.

ADJETIVOS PARA DESCRIBIR PERSONAS

Es alto ≠ bajo.	Es alta ≠ baja.		
Es gordo ≠ delgado.	Es gorda ≠ delgada.	Tiene el pelo	corto = largo.
			rizado = liso.

Es rubio/castaño/moreno.   Es rubia/castaña/morena.

- ¿De qué color son sus ojos?
- Sus ojos son/Tiene los ojos verdes/azules/negros/marrones.

B. Un chico y una chica llaman al director. Escucha la conversación y completa las fichas. ¿Corresponden al perfil?

 Pista 25

	Chico	Chica
¿Cómo se llama?		
¿Cómo tiene el pelo?		
¿Es alto o bajo?		
¿De qué color son sus ojos?		

C. Y en tu clase, ¿quién puede representar el papel de Borja y Esther?

Yo, porque soy castaña, tengo el pelo...

D. Vuelve a escuchar y encuentra a los dos chicos en la ilustración.

E. Ahora, describe a una persona de la clase. Tus compañeros dicen quién es.

4 EL CARÁCTER

A. Observa las imágenes e indica qué adjetivo corresponde a cada una.

① ② ¿Trabajadora o vaga?

③ ④ ¿Tímida o romántica?

⑤ ⑥ ¿Graciosa o simpática?

⑦ ⑧ ¿Educado o testaruda?

⑨ ⑩ ¿Inteligente o sociable?

⑪ ⑫ ¿Cariñosa o generosa?

⑬ ⑭ ¿Desordenada o habladora?

LOS ADJETIVOS	
MASCULINO	FEMENINO
Terminados en –o: vag**o**	–o>–a: vag**a**
Terminados en –or: trabajad**or**	+ –a: trabajad**ora**
Terminados en –e: sociabl**e**	–e: sociabl**e**

B. Observa el test.

Indica qué colores te gustan y cuáles no y descubre tu personalidad

- ☺ Eres hablador, habladora.
- ☺ Eres tímido, tímida.
- ☺ Eres gracioso, graciosa.
- ☺ Eres vago, vaga.
- ☺ Eres cariñoso, cariñosa.
- ☺ Eres educado, educada.
- ☺ Eres sociable, sociable.

- ☹ Eres desordenado, desordenada.
- ☹ Eres romántico, romántica.
- ☹ Eres simpático, simpática.
- ☹ Eres trabajador, trabajadora.
- ☹ Eres generoso, generosa.
- ☹ Eres testarudo, testaruda.
- ☹ Eres inteligente, inteligente.

Pista 26

C. Escucha a estos dos estudiantes que hacen el test e indica su carácter.

Juan es...   Celia es...

D. En grupos de 4: por turnos, habla con tus compañeros y di los resultados del juego.

- David, ¿qué colores te gustan?
- Eres sociable y hablador. ¿Qué colores no te gustan?
- Eres testarudo y generoso.

- El naranja y el azul.
- El marrón y el rojo.

ACTÚO

Pongo un anuncio para hacer nuevos amigos

5 **Busco amigos**

A. Lee los anuncios de la sección Busco amigos de una revista para adolescentes.

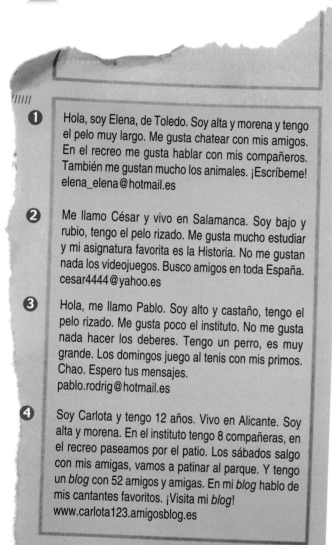

❶ Hola, soy Elena, de Toledo. Soy alta y morena y tengo el pelo muy largo. Me gusta chatear con mis amigos. En el recreo me gusta hablar con mis compañeros. También me gustan mucho los animales. ¡Escríbeme! elena_elena@hotmail.es

❷ Me llamo César y vivo en Salamanca. Soy bajo y rubio, tengo el pelo rizado. Me gusta mucho estudiar y mi asignatura favorita es la Historia. No me gustan nada los videojuegos. Busco amigos en toda España. cesar4444@yahoo.es

❸ Hola, me llamo Pablo. Soy alto y castaño, tengo el pelo rizado. Me gusta poco el instituto. No me gusta nada hacer los deberes. Tengo un perro, es muy grande. Los domingos juego al tenis con mis primos. Chao. Espero tus mensajes. pablo.rodrig@hotmail.es

❹ Soy Carlota y tengo 12 años. Vivo en Alicante. Soy alta y morena. En el instituto tengo 8 compañeras, en el recreo paseamos por el patio. Los sábados salgo con mis amigas, vamos a patinar al parque. Y tengo un *blog* con 52 amigos y amigas. En mi *blog* hablo de mis cantantes favoritos. ¡Visita mi *blog*! www.carlota123.amigosblog.es

B. ¿Quién es...?

> Pablo es vago. No le gusta estudiar.

Vago
Hablador
Estudioso
Sociable

C. Observa.

LA CANTIDAD

- **Muy + adjetivo.**
  Es muy tímido.

- **verbo + mucho/poco/nada**
  Me gusta mucho el fútbol.
  Me gusta poco leer.
  No estudia nada.

D. Completa las frases con muy, mucho, poco o nada.

1. Alberto es .... trabajador, estudia ....
2. Marta tiene el pelo .... largo.
3. Carlos es .... tímido, habla ....
4. A Lucas no le gusta .... ver la tele.
5. Mi perro come ...., es .... comilón.
6. Beatriz juega .... al baloncesto, no le gusta.

Extensión digital

www.edelsa

Zona estudiante

Participa en la comunidad de Código ELE

Escribe tu anuncio.

CÓDIGO <H>

Humano

Escribe tú también un anuncio para la revista. Indica cómo eres (físico y carácter) y tus gustos. No indiques tu nombre. Luego, tu profesor lee los anuncios y la clase adivina quién es.

> Soy alto y rubio. Tengo el pelo muy corto y liso. Soy goloso y simpático. No soy tímido. Me gustan los animales, la música y leer. No me gusta nada...

EDUCACIÓN PARA LA CIUDADANÍA

Los apellidos españoles

1

Observa el carné de identidad y contesta las preguntas.
1. ¿Cómo se llama? (nombre y apellidos)
2. ¿Qué día es su cumpleaños?

2

¿Qué nombres y apellidos españoles conoces?
Piensa en un deportista, un cantante, un actor...

3

Lee el texto sobre los apellidos españoles.

Los españoles tienen dos apellidos. Normalmente, el primer apellido es el primer apellido del padre; el segundo es el primer apellido de la madre. Pero también puede ser el primer apellido materno en primer lugar, y el paterno en segundo lugar.

La mujer casada no toma el apellido de su marido.

Según el INE (Instituto Nacional de Estadísticas de España):
- Los 10 apellidos más frecuentes son: García, González, Fernández, Rodríguez, López, Martínez, Sánchez, Pérez, Martín y Gómez.
- Los 10 nombres de chica y chico nacidos a partir de 2000 más populares son: María, Lucía, Paula, Laura, Andrea, Marta, Alba, Sara, Ana y Nerea para las chicas y Alejandro, Daniel, David, Pablo, Adrián, Javier, Álvaro, Sergio, Carlos e Iván para los chicos.

a. Completa este árbol genealógico con los apellidos (el primer apellido es el primer apellido del padre; el segundo es el primer apellido de la madre).

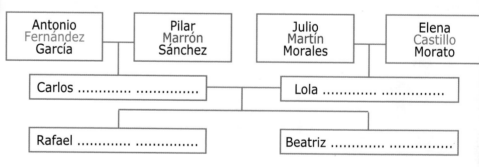

b. De la lista de nombres de chicos y chicas, ¿cuáles te gustan más?

c. Aquí tienes más nombres de chico y chica, ¿existen también en tu país?

Chicas: Alejandra, Beatriz, Sandra, Elsa, Julia, Estefanía, Alicia, Carolina, Verónica, Cristina, Isabel, Leticia, Matilde, Natalia, Yolanda.
Chicos: Alfonso, Pedro, Manuel, Antonio, Gabriel, Ramón, Víctor, Eduardo, Rafael, Hugo, Lucas, Juan, Marcos, Vicente.

ESPACIO INTERDISCIPLINAR

¡ME GUSTAN LAS MATEMÁTICAS!

1 ESCUCHA Y LEE LOS NÚMEROS.

30	treinta	50	cincuenta
31	treinta y uno	51	cincuenta y uno
32	treinta y dos	52	cincuenta y dos
...		...	
40	cuarenta	60	sesenta
41	cuarenta y uno	70	setenta
42	cuarenta y dos	80	ochenta
...		90	noventa
		100	cien

2 ¿CÓMO DICES ESTOS NÚMEROS?

33   48   56   67   79   82   89   91   95

3 INDICA EL CAMINO CORRECTO. SOLO PUEDES PASAR POR LOS NÚMEROS DIVISIBLES POR 3.

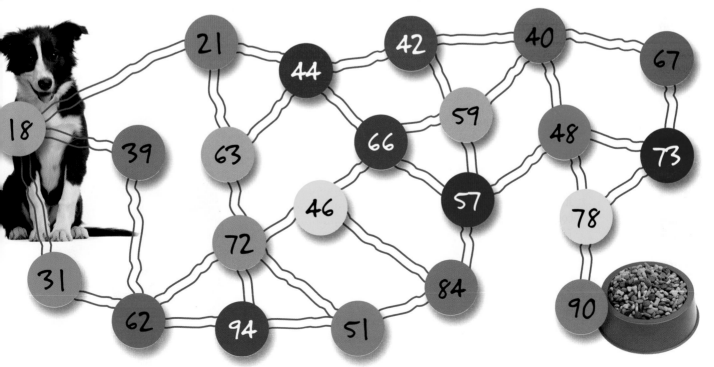

Comunicación

Hacer preguntas

1. Completa las frases con cuántos o cuántas.

1. ¿........................ amigos tienes en el instituto?
2. ¿........................ primas tienes?
3. ¿........................ lápices hay en tu estuche?
4. ¿........................ perros tiene tu abuela?
5. ¿........................ ventanas hay en el aula?
6. ¿........................ alumnos hay en el patio?
7. ¿........................ profesoras tienes?
8. ¿........................ estantes hay en tu habitación?

Describir personas

2. Escribe las preguntas correspondientes sobre Patricia.

1. .... Patricia es baja y delgada.
2. .... Sus ojos son verdes.
3. .... Tiene el pelo corto.
4. .... Mide 1,61 metros.

Expresar acuerdo o desacuerdo

3. Completa con a mí también, a mí tampoco, a mí sí, a mí no.

	ACUERDO		DESACUERDO
Me gusta el deporte.	1.	6. ....
Me gustan las fiestas.	2.	7. ....
No me gusta el baloncesto.	3.	8. ....
Me gusta bailar.	4.	9. ....
No me gustan los videojuegos.	5.	10. ....

Gramática

Los posesivos

4. Transforma como en el ejemplo.

1. Yo/la bici .... Mi bici
2. Olga y José/la profesora ....
3. Tú/las tijeras ....
4. Vosotros/el ordenador ....
5. Elena/la mochila ....
6. Mis padres/la casa ....
7. Yo/los libros ....
8. Nosotros/el instituto ....
9. Mi hermano/el rotulador ....
10. Tú/el bolígrafo ....
11. Julio/el estuche ....
12. Los alumnos/el diccionario ....
13. Tú/los lápices ....
14. Yo/el cuaderno ....
15. Vosotros/los padres ....
16. Nosotros/los abuelos ....
17. Carlos/las gomas ....
18. Mis primos/las llaves ....

El verbo «gustar»

5. Completa con gusta o gustan.

1. Me .... el deporte.
2. Me .... los animales.
3. Me .... leer.
4. No me .... chatear.
5. No me .... la natación.
6. Le .... la música y el cine.

«También» y «tampoco»

6. Relaciona.

1. A mí me gusta mucho el chocolate.
2. A mí no me gusta el fútbol.
3. No me gusta nada leer.
4. No me gustan los exámenes.

a. A mí tampoco, prefiero el baloncesto.
b. A mí sí, especialmente los libros de aventuras.
c. A mí tampoco. Los odio.
d. A mí también. ¡Qué rico!

Los pronombres de complemento indirecto

7. Completa con los pronombres personales: me, te, le, nos, os, les.

1. A Juan .... gustan los perros.
2. A mí no .... gusta ver la tele.
3. A mis padres .... gusta el cine.
4. A vosotros .... gustan las galletas.
5. A mí .... gustan los libros.
6. A ti .... gusta el chocolate.
7. A mis amigos .... gusta navegar por Internet.
8. A nosotros .... gustan los caramelos.
9. A ti .... gusta escribir SMS.
10. A Elena .... gusta la habitación de Sonia.

Léxico

La familia
8. Escribe los femeninos.

1. el abuelo ....
2. el tío ....
3. el padre ....
4. el nieto ....
5. el hijo ....
6. el sobrino ....
7. el hermano ....

Los adjetivos para describir
9. Escribe los plurales. Luego, elige 3 y forma una frase.

1. graciosa ....
2. vaga ....
3. moreno ....
4. desordenado ....
5. azul ....
6. marrón ....
7. verde ....
8. delgado ....
9. cariñosa ....
10. trabajador ....
11. sociable ....
12. habladora ....
13. rizado ....
14. bajo ....
15. romántica ....

....

LEO Lee el texto. Luego indica quién es cada amigo por el adjetivo.

¡Hola, buenos días! ¿Qué tal estás?

Me llamo Eduardo y estoy en primero de la ESO. En mi clase tengo cinco amigos.

Julián: No le gusta estudiar.

Carmen: Estudia mucho y saca buenas notas. Sus asignaturas favoritas son la Historia y el Francés.

Patricia: No le gusta mucho hablar. En clase no le gusta salir a la pizarra.

César: Durante el recreo, habla con todos los compañeros, ¡y en su «blog» tiene 80 amigos!

Bea: Sus frases favoritas son: «¿Dónde está mi cuaderno?», «¿Y mi estuche?», «¿Dónde están mis lápices?».

¡Adiós!

1. trabajador/trabajadora
2. educado/educada
3. sociable/sociable
4. desordenado/desordenada
5. tímido/tímida
6. vago/vaga

ESCUCHO Escucha y localiza a Elena en la ilustración.

ESCRIBO Redacta un anuncio de una persona para un «casting» de cine.

HABLO Marca tus actividades de tiempo libre preferidas. Compara tus actividades con las de tu compañero.

Me gusta ver la tele. ¿Y a ti?

Habla de tus costumbres

¿Qué hora es?

En esta unidad aprendes a...

- Hablar de tus costumbres y hábitos.
- Preguntar y decir la hora.
- Hacer planes y hablar de ellos.
- Proponer actividades, aceptarlas y poner excusas.

7 Mi rutina diaria

Un foro intercultural: conoce otras costumbres

FORO JUVENIL

Participa en este foro intercultural
Queremos conocer las costumbres de estudiantes de la misma edad en todo el mundo. Participa en este foro y conoce las formas de vida de otros estudiantes como tú en todo el mundo.

Hola, me llamo Rodrigo y estas son mis rutinas diarias. Todos los días me levanto a las siete y me ducho, me visto y desayuno en la cocina con mi hermana. Salgo de casa a las ocho de la mañana y voy al instituto a pie, con un amigo. Llego a las ocho y veinte. Las clases empiezan a las ocho y media. Vuelvo a casa a las dos de la tarde y como con mi hermana y mi abuela. Hago los deberes en mi habitación. Meriendo por la tarde y, después, juego al fútbol con mis amigos. Ceno con mi familia a las nueve y me acuesto a las diez y media.

COMPRENDO

1 **Ordena las acciones de Rodrigo.**

- ☐ Salir de casa
- ☐ Llegar al instituto
- ☐ Ducharse
- ☐ Hacer los deberes
- ☐ Levantarse

- ☐ Volver a casa
- ☐ Vestirse
- ☐ Desayunar
- ☐ Merendar
- ☐ Ir al instituto

- ☐ Acostarse
- ☐ Empezar las clases
- ☐ Cenar
- ☐ Jugar al fútbol

2 **Observa las imágenes y escribe una frase debajo con lo que hace Rodrigo.**

....
....

3 **Contesta a las preguntas sobre Rodrigo.**

1. ¿Con quién desayuna?
2. ¿Cómo va al instituto?
3. ¿A qué hora empiezan las clases?

4. ¿Dónde come y con quién?
5. ¿Ve a sus amigos por la tarde?
6. ¿Cena solo?

PRACTICO Y AMPLÍO

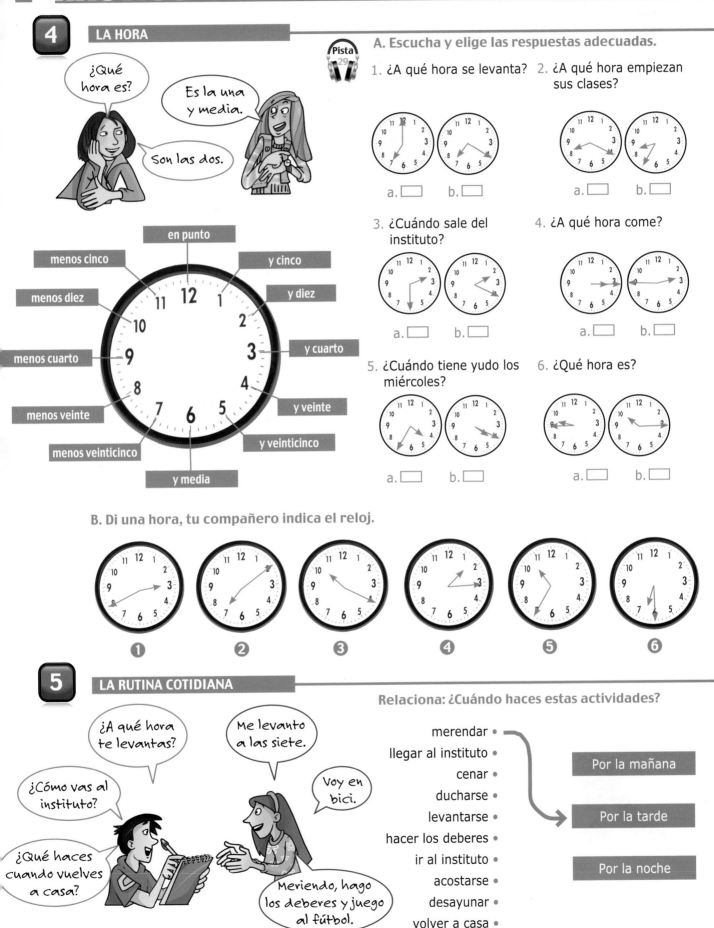

4 **LA HORA**

¿Qué hora es?

Es la una y media.

Son las dos.

en punto

menos cinco · y cinco

menos diez · y diez

menos cuarto · y cuarto

menos veinte · y veinte

menos veinticinco · y veinticinco

y media

A. Escucha y elige las respuestas adecuadas.

Pista 29

1. ¿A qué hora se levanta?   2. ¿A qué hora empiezan sus clases?

a. ☐   b. ☐   a. ☐   b. ☐

3. ¿Cuándo sale del instituto?   4. ¿A qué hora come?

a. ☐   b. ☐   a. ☐   b. ☐

5. ¿Cuándo tiene yudo los miércoles?   6. ¿Qué hora es?

a. ☐   b. ☐   a. ☐   b. ☐

B. Di una hora, tu compañero indica el reloj.

❶   ❷   ❸   ❹   ❺   ❻

5 **LA RUTINA COTIDIANA**

¿A qué hora te levantas?

Me levanto a las siete.

¿Cómo vas al instituto?

Voy en bici.

¿Qué haces cuando vuelves a casa?

Meriendo, hago los deberes y juego al fútbol.

Relaciona: ¿Cuándo haces estas actividades?

merendar ·

llegar al instituto ·

cenar ·

ducharse ·

levantarse ·

hacer los deberes ·

ir al instituto ·

acostarse ·

desayunar ·

volver a casa ·

Por la mañana

Por la tarde

Por la noche

6

EL PRESENTE DE INDICATIVO

LEVANTARSE	SALIR	IR	HACER	VOLVER	EMPEZAR	VESTIRSE
me **levanto**	**salgo**	voy	**hago**	v**ue**lvo	empi**e**zo	me **visto**
te **levantas**	**sales**	vas	haces	v**ue**lves	empi**e**zas	te **vistes**
se **levanta**	**sale**	va	hace	v**ue**lve	empi**e**za	se **viste**
nos **levantamos**	**salimos**	vamos	hacemos	volvemos	empezamos	nos **vestimos**
os **levantáis**	**salís**	vais	hacéis	volvéis	empezáis	os **vestís**
se **levantan**	**salen**	van	hacen	v**ue**lven	empi**e**zan	se **visten**
te **levantás**	**salís**	vas	**hacés**	volvéis	empezás	te **vestís**

A. Localiza las formas en la sopa de letras.

```
D T M S A L G O A M D V
V E M P I E Z A S D O A
U A E M P I E Z A Y P I
E C V U E L V E S D O S
L U I A B C N S V D E D
V E S E L E V A N T A S
E S T V L R L E N E O D
N T O A T K I M N M U E
D A S D D R D D I D E V
J S X A E U D L P T S A
D I A M N T A O I E G S
N O S V E S T I M O S D
```

1. salir, yo .... *salgo*
2. volver, ellos ....
3. ir, vosotros ....
4. empezar, tú ....
5. vestirse, yo ....
6. salir, nosotros ....
7. ir, tú ....
8. levantarse, él ....
9. merendar, yo ....
10. acostarse, tú ....
11. empezar, usted ....
12. vestirse, nosotros ....
13. volver, tú ....
14. ir, yo ....
15. salir, ustedes ....

B. Escucha y marca la forma oída.

Pista 30

1. ☐ nosotros ☐ tú
2. ☐ nosotros ☐ vosotros
3. ☐ yo ☐ usted
4. ☐ él ☐ ellos
5. ☐ yo ☐ tú
6. ☐ yo ☐ ellos
7. ☐ ella ☐ ellas
8. ☐ tú ☐ ellos
9. ☐ nosotros ☐ usted
10. ☐ ellos ☐ tú

C. Di un pronombre y una letra como en el ejemplo, tus compañeros conjugan el verbo.

Yo, i.

Me acuesto.

a. comer
b. volver
c. merendar
d. ir
e. salir
f. vestirse
g. desayunar
h. hacer
i. acostarse

Yo	d e i
Tú	a f g
Él	c g h
Nosotros	d c f
Vosotros	b e i
Ellas	g c d

Actúo

Participo en el foro intercultural

7

Formula preguntas sobre las rutinas diarias

A. Escucha la conversación y marca las respuestas correctas. Luego, explica las actividades de Belén.

Pista 31

> Todos los días, Belén se levanta a las siete y cuarto.

❶

a. ☐   b. ☐

❷

a. ☐   b. ☐   c. ☐

❸

a. ☐   b. ☐

❹
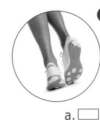

a. ☐   b. ☐   c. ☐

❺

a. ☐   b. ☐

❻

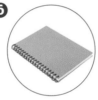

a. ☐   b. ☐   c. ☐   d. ☐

❼

a. ☐   b. ☐

B. Escucha de nuevo y escribe las 7 preguntas del profesor.

> ¿A qué hora te levantas todos los días?

CÓDIGO <I>

Interculturalidad
Y tú, ¿a qué hora desayunas, comes, meriendas y cenas normalmente? Escribe un texto.

Extensión digital

www.edelsa

Zona estudiante

Participa en la comunidad de Código ELE
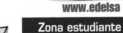
Cuelga tus horarios en el «blog».

> Normalmente, desayuno a las...

¿Qué vas a hacer?

 Pista 32

Los planes de Camila

Camila: Hola.

Celia: Hola, ¿qué vas a hacer hoy?

Camila: Esta mañana voy a dibujar en mi habitación y voy a jugar con el perro en el jardín. Y esta tarde voy a patinar en el parque con Cristina.

Celia: ¿Vamos a la piscina?

Camila: Vale. ¿Con quién vas?

Celia: Con Raquel.

Camila: ¿A qué hora?

Celia: A las cinco y media.

Camila: ¡¡Oh, no!! A las cinco tengo que merendar en casa de mi abuela con mis primas. Y mañana, ¿qué vas a hacer?

Celia: Mañana voy a una fiesta de cumpleaños con David, vamos a bailar y participar en un karaoke, canto fatal, pero es genial. ¿Esta tarde a qué hora vas a patinar?

Camila: A las tres.

Celia: ¡Genial! Me apunto.

Camila: Vale, a las tres menos diez en mi casa. Chao.

Celia: Chao.

① ② ③ ④ ⑤ ⑥

COMPRENDO

1 ¿A qué verbo corresponde cada foto?

> La foto número 1 es el verbo «dibujar».

2 Vuelve a leer la conversación y completa el cuadro.

	Actividad	Cuándo	Con quién	Dónde
Camila	dibujar			
Celia				

PRACTICO Y AMPLÍO

3 **EXPRESAR PLANES**

¿Qué vas a hacer este fin de semana?

El sábado voy a escuchar música y el domingo voy a ver la tele.

A. Relaciona y forma 4 frases.

¿Qué vas •		• bailar.
Voy •	a	• dibujar.
Vamos •		• patinar?
¿A qué hora vas •		• hacer?

«IR A» + INFINITIVO

Voy	a	patinar en el parque.
Vas	a	bailar en una fiesta.
Va	a	leer una revista.
Vamos	a	estudiar para el examen.
Vais	a	cantar en un karaoke.
Van	a	chatear con un amigo.

¿CUÁNDO?
• esta mañana/esta tarde/esta noche
• este fin de semana
• hoy/mañana
• a la una/a las tres y media...
• el lunes/el martes...

EL TIEMPO LIBRE

- montar en bici
- cantar
- ver la tele
- escuchar música
- patinar
- dibujar
- jugar con la consola
- jugar o pasear con el perro
- nadar o ir a la piscina
- leer
- ir al cine
- jugar al fútbol
- jugar al baloncesto

B. Escucha y adivina qué va a hacer cada persona este fin de semana.

 Pista 33

Va a montar en bicicleta.

1. Miguel ....
2. Nosotros ....
3. Bea y Carlos ....
4. Carlota ....
5. José ....
6. Mis amigos ....
7. Tú ....
8. Vosotros ....

C. Di el nombre de una persona o un pronombre, la clase dice qué va a hacer esta tarde.

 Tú

 Vosotros

 Lola y María

 Yo

Belén

Nosotros

D. Y tú, ¿qué planes tienes para este fin de semana?

El sábado voy a estudiar y voy a patinar con unos amigos. El domingo voy a...

PRACTICO Y AMPLÍO

4 EXPRESAR OBLIGACIÓN

¿Vamos a patinar?

No, tengo que ir a la biblioteca.

LA OBLIGACIÓN

«Tener que» + obligación

Tengo	que	**salir.**
Tienes*	que	**estudiar.**
Tiene	que	**hacer el ejercicio.**
Tenemos	que	**llamar a Camila.**
Tenéis	que	**escribir un «e-mail».**
Tienen	que	**hacer los deberes.**

* **(vos)**   tenés que

A. Completa las frases con «tener que» y los verbos de la lista.

ir - cenar - jugar - pasear - estudiar - merendar

1. Este fin de semana (nosotros) .... al fútbol.
2. A las cinco (vosotros) .... con el perro.
3. Esta noche (yo) .... con mis abuelos.
4. El sábado (tú) .... al cine con tus padres.
5. Esta tarde (Julián y Marta) .... a las cinco.
6. Hoy (Pablo) .... para el examen de Inglés.

B. Borja llama a Celia. Relaciona las preguntas de Borja con las respuestas de Celia.

❶ ¿No tienes que hacer los deberes?

❷ ¿El sábado vamos a una fiesta?

❸ ¿Esta tarde jugamos con la consola?

❹ ¿Vamos a montar en bici el domingo a las diez?

❺ Adiós, voy a ver una película en casa de Pablo.

❻ ¿Chateamos esta noche?

- Vale, pero tengo que volver a las once

- No, esta tarde solo tengo que estudiar

- ¡Imposible! A las nueve y media tengo que ir a la piscina con Pilar.

- ¿A casa de Pablo? ¡Qué bien!

- No, tengo que cenar con mi abuela.

- No, no puedo. Es que esta tarde tengo que leer mucho.

C. Con tu compañero, imagina los diálogos, elige una excusa, como en el ejemplo.

INVITACIONES
- Ir a la piscina esta tarde.
- Jugar al baloncesto el sábado.
- Montar en bici a las once.
- Ir a nadar el domingo.

¿Vamos a la piscina esta tarde?

No, tengo que pasear a mi perro.

ACTÚO

Quedo con mis compañeros el sábado por la tarde

5 Forma frases
Tira el dado 4 veces y escribe las actividades, como en el ejemplo.

El sábado por la tarde [dado] voy a patinar, [dado] voy a sacar a pasear al perro,...

6 Invita a tus compañeros
A. Tu compañero tiene la misma actividad.
- ¿Patinamos el domingo?
- Vale, ¡genial! ¿A qué hora?
- A las cinco.

B. Tu compañero no tiene la misma actividad.
- ¿Patinamos el domingo?
- No, tengo que jugar al tenis. Luego voy a jugar al fútbol, a pintar y ver la tele.

CÓDIGO <C>

Las citas
Anota las citas: el lugar, la hora y con quien te encuentras.

La pirámide del estilo de vida saludable

1 Lee el texto e infórmate. Luego, marca las opciones correctas.

Consejos para vivir mejor

GOBIERNO DE ESPAÑA · MINISTERIO DE SANIDAD Y CONSUMO

Es evidente científicamente que las enfermedades crónicas se establecen en la infancia y la adolescencia. Por eso, es importante tener una vida equilibrada y saludable. Para conseguirlo, un equipo de médicos y especialistas realiza y revisa todos los años la pirámide de estilo de vida con cuatro caras:

1. La alimentación diaria.
2. Las actividades diarias.
3. La pirámide de la alimentación.
4. La higiene y la salud.

Estos son algunos consejos importantes para ti, que tienes entre 12 y 14 años:

- Hacer 60 minutos de deporte o actividad física, mejor en equipo.
- Dormir y descansar entre 8 y 10 horas diarias.
- Comer despacio y variado.
- Hacer cinco comidas al día: desayuno, almuerzo, comida, merienda y cena.
- Dedicar entre 5 y 8 horas diarias al instituto, los deberes y actividades tranquilas, como leer o pintar.
- Escuchar música, ir a un concierto o tocar un instrumento.
- Como máximo dedicar solo dos horas diarias a otras actividades tranquilas como ver la televisión o estar delante del ordenador.
- Tomar mucho líquido (agua, zumos).

Es bueno dormir: ☐ 4 horas ☐ 6 horas ☐ 10 horas.

Deportes recomendados: ☐ montar a caballo ☐ jugar al fútbol ☐ nadar ☐ jugar al tenis.

Las actividades menos recomendadas:
☐ tocar un instrumento ☐ cantar ☐ ver la televisión ☐ bailar ☐ chatear.

Es mejor estudiar: ☐ todos los días un poco ☐ antes de un examen mucho.

2 Explica si tú tienes una vida saludable y por qué.

3 Entrevista a dos personas sobre sus hábitos diarios y semanales y di si tienen una vida saludable.

ESPACIO INTERDISCIPLINAR

¡ME GUSTA LA EDUCACIÓN FÍSICA!

1 OBSERVA ESTOS DEPORTES.

el baloncesto

el balonmano

el fútbol

el voleibol

el tenis

el atletismo

la natación

el ciclismo

el esquí

el yudo

la equitación

2 ¿QUÉ DEPORTES ACONSEJAS A ESTAS PERSONAS?

Antonio: Soy muy sociable, y me gusta estar con mis amigos.

Carolina: Me gusta mucho el mar.

Manuel: Me gustan los animales y la naturaleza.

Alicia: Me gusta mucho la montaña.

3 CONTESTA A LAS PREGUNTAS.

1. ¿Qué deportes te gustan y practicas?
2. ¿Qué deportes te gustan, pero no practicas?
3. ¿Qué deportes practicas en el instituto?
4. ¿Conoces deportistas españoles famosos?

Comunicación

Hablar de planes

1. Indica qué van a hacer.

1. Beatriz ....

2. Tú ....

3. Yo ....

4. Mis hermanos ....

5. Nosotros ....

6. Vosotros ....

Hablar de actividades cotidianas

2. Completa las preguntas con los interrogativos del recuadro.

> • Cómo • Qué • Dónde • qué • quién
> • Cuántos • Dónde • Cómo • Qué • Cómo

1. ¿A .... hora llegas al instituto? ____
2. ¿..................... viven tus abuelos? ____
3. ¿..................... se llama tu gato? ____
4. ¿..................... haces cuando vuelves a casa? ____
5. ¿..................... libros hay en tu mochila? ____
6. ¿..................... es tu casa? ____
7. ¿..................... está el perro? ____
8. ¿..................... hora es? ____
9. ¿Con .... comes? ____
10. ¿..................... va tu hermano al instituto? ____

3. Ahora, escribe el número de la respuesta.
1. En Madrid.
2. En bici.
3. En su caseta.
4. Las tres y media.
5. Meriendo y hago los deberes.
6. Cuatro.
7. A las ocho y cuarto.
8. Copito.
9. Con dos amigas del instituto.
10. Es grande.

Gramática

Los verbos en presente
4. Escribe las formas en presente.

yo	tú	él
1. empezar	1. vestirse	1. ir
2. salir	2. volver	2. desayunar
3. ir	3. merendar	3. acostarse

nosotros	vosotros	ellos
1. vestirse	1. levantarse	1. lavarse
2. salir	2. empezar	2. volver
3. jugar	3. volver	3. llegar

5. Completa las frases con los verbos de la lista en presente.
1. Todos los días (yo) .... al instituto en bici.
2. Cuando volvemos a casa, merendamos y .... al fútbol.
3. Marina y Carlos .... a las dos del instituto.
4. Pedro cena a las nueve y .... a las diez.
5. ¿A qué hora (tú) .... los deberes?
6. Todos los días .... a las siete, me ducho y me visto.

> acostarse
> hacer
> ir
> jugar
> levantarse
> salir

«Tener que» + infinitivo
6. Escribe las formas del verbo tener.
1. Este fin de semana (nosotros) .... que estudiar.
2. Hoy (Pablo) .... que llamar a sus abuelos.
3. A las cinco (vosotros) .... que pasear al perro.
4. Esta noche (yo) .... que volver a casa a las diez.
5. Mañana (tú) .... que ir a la piscina.
6. Esta tarde (Julián y Marta) .... que hacer los ejercicios de inglés.

Léxico

El tiempo libre
7. Completa las expresiones con a, con, al o en.
1. Montar .... bici.
2. Ir .... cine.
3. Jugar .... el perro.
4. Jugar .... baloncesto.
5. Ir .... la piscina.

LEO   Lee el texto y complétalo con las palabras que faltan. Luego, escribe tres actividades tuyas que son diferentes a las de Berta.

Hola. Yo .... llamo Berta y estoy .... primero de la ESO en .... instituto de Bilbao. Todos los día
.... levanto .... las siete y media, me visto, desayuno y salgo .... casa a .... ocho y cinco
Voy a mi instituto .... autobús. Llego a las ocho y media. Tenemos clases hasta .... dos. Vuelvo e
casa y como .... mi abuela y mis dos hermanos pequeños a las dos .... media. Descanso un poco y
después, hago .... deberes y estudio. A las cinco y media meriendo y voy a clases de inglés ....
lunes y los miércoles. Los martes y los jueves .... clase de tenis a .... seis. En casa cenamos a la
nueve y, después, ... un poco la tele o chateo con mis amigos. A las diez y media me voy l
cama y hasta el día siguiente.

ESCUCHO   Escucha a Nuria, pon en orden los relojes y escribe qué hace en cada hora.

Pista 34

a. [____] b. [____] c. [____] d. [____] e. [____]

ESCRIBO   Chatea con un nuevo amigo español. Contesta a sus preguntas.

¿A qué hora te levantas todos los días?   ....
¿Con quién desayunas?   ....
¿Cómo vas al instituto?   ....
¿A qué hora llegas al instituto?   ....
¿Cuántas horas de clase tienes los lunes?   ....
¿A qué hora comes?   ....
¿A qué hora haces los deberes?   ....
¿A qué hora te acuestas?   ....

HABLO   Habla con tu compañero de la vida cotidiana de Borja y escribe las horas.

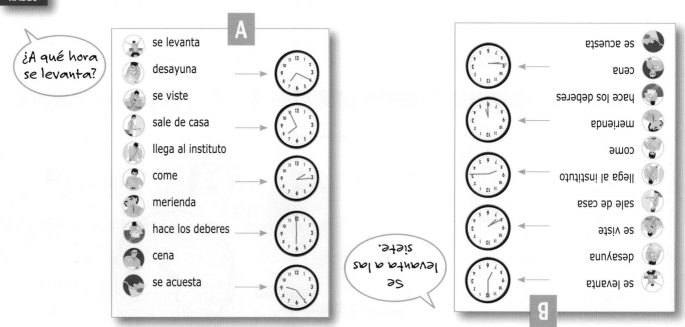

¿A qué hora se levanta?

A

- se levanta
- desayuna
- se viste
- sale de casa
- llega al instituto
- come
- merienda
- hace los deberes
- cena
- se acuesta

Se levanta a las siete.

B

- se acuesta
- cena
- hace los deberes
- merienda
- come
- llega al instituto
- sale de casa
- se viste
- desayuna
- se levanta

Muévete por la ciudad

> ¿Vienes conmigo? Vamos a conocer mi casa, mi ciudad y mi barrio. Mira, yo vivo en esta calle.

En esta unidad aprendes a...

- Describir tu casa o piso.
- Hablar del lugar donde vives.
- Situar e identificar objetos.
- Dar y preguntar una dirección postal.
- Describir la ciudad.
- Indicar los medios de transporte que usas.
- Entender direcciones.

9 ¿Dónde vives?

Casas ecológicas

ECOCASA

Una casa ideal es una casa en un entorno hermoso, con un buen clima, que utiliza energía gratis y natural, y que está construida con materiales de la zona. Parece una idea de un libro de ciencia ficción, pero es hoy una realidad, es la casa ecológica.

Las casas bioclimáticas (casas ecológicas) son aquellas que están diseñadas inteligentemente, donde la energía para calentar el agua o las habitaciones procede de la naturaleza y es gratis, donde se usa el agua de la lluvia, y está construida con materiales no tóxicos, es decir, una casa más humana.

COMPRENDO

1 **Marca, según el texto, qué aspectos definen una casa ecológica.**

☐ Utiliza energías naturales.
☐ Está construida con materiales tradicionales.
☐ Está hecha de materiales reciclados.

☐ Es una casa de estilo tradicional.
☐ No usa agua natural.
☐ No es bonita, pero es cómoda.

2 **Relaciona.**

1. Entorno hermoso
2. Buen clima
3. Materiales de la zona
4. De ciencia ficción
5. Diseñada
6. Procede de
7. Construida de

a. Calor y buena temperatura
b. Del futuro
c. Elementos naturales
d. Es de
e. Hecha de
f. Lugar bonito
g. Pensada

3 **Escribe tu definición de una casa ecológica.**

PRACTICO Y AMPLÍO

4 DESCRIBIR SU CASA

A. Di un número. Un compañero dice qué es.

LA CASA
la cocina
el salón
el pasillo
la escalera
el baño
la habitación
el jardín

❶

❷

❸

El 6.

El pasillo.

No, el baño.

❹

❺

❻

❼

B. Escucha a Ricardo y responde. ¿Verdadero o falso?

Pista 35

	V	F
1. La casa no tiene piscina.	☐	☐
2. La cocina es grande.	☐	☐
3. El baño está en la planta baja.	☐	☐

	V	F
4. La habitación tiene balcón.	☐	☐
5. El pasillo es pequeño.	☐	☐
6. El salón tiene balcón.	☐	☐

C. Ahora, completa el texto de Ricardo. Fíjate en la primera letra.

Vivo en
una casa con
mis padres...

Vivo en una c.............. con mis padres y mi h.............. . Mi casa tiene dos plantas. En la planta baja hay un pequeño p.............., una cocina g.............. y un s.............. con una terraza. El b.............., mi h.............., la habitación de mis p.............. y la habitación de mi h.............. están en la segunda p.............. . La h.............. de mis padres tiene balcón. La casa tiene una p.............. .

5 HABLAR DE LA VIVIENDA

- ¿Dónde vives?
- Vivo en un piso/una casa.
- ¿Cómo es tu casa/tu piso?
- Mi casa es grande ≠ pequeña.
- Mi piso es grande ≠ pequeño.
- ¿Qué hay en tu casa/tu piso?
- Hay una cocina, un comedor,...

Habla con tu compañero y contesta a las preguntas.

1. ¿Dónde vive?
....

2. ¿Cómo es su casa o piso? ¿Cuántas habitaciones tiene?
....

3. ¿Cuántas personas viven allí?
....

4. ¿Tiene garaje, piscina, jardín...?
....

6 SITUAR

A. Escribe el nombre de los muebles.

¿Tienes televisor?

Sí, en mi casa hay dos. Uno está en la cocina y el otro en el salón.

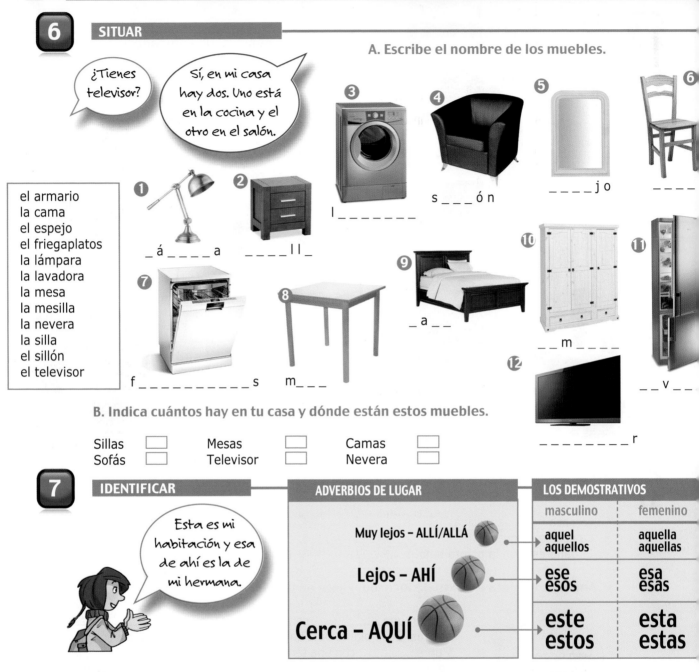

el armario
la cama
el espejo
el friegaplatos
la lámpara
la lavadora
la mesa
la mesilla
la nevera
la silla
el sillón
el televisor

3 l _ _ _ _ _ _ _

4 s _ _ _ ó n

5 _ _ _ _ j o

1 _ á _ _ _ _ a

2 _ _ _ _ l l _

7 f _ _ _ _ _ _ _ _ _ s

8 m _ _ _

9 _ a _ _

10 _ _ m _ _ _ _

12 _ _ _ _ _ _ _ _ r

_ _ v _ _

B. Indica cuántos hay en tu casa y dónde están estos muebles.

Sillas ☐   Mesas ☐   Camas ☐
Sofás ☐   Televisor ☐   Nevera ☐

7 IDENTIFICAR

Esta es mi habitación y esa de ahí es la de mi hermana.

ADVERBIOS DE LUGAR		LOS DEMOSTRATIVOS	
		masculino	femenino
Muy lejos – ALLÍ/ALLÁ		aquel aquellos	aquella aquellas
Lejos – AHÍ		ese esos	esa esas
Cerca – AQUÍ		este estos	esta estas

David y su madre están comprando un regalo. Completa con los demostrativos.

· Mamá, mira .... jarrón amarillo, es muy bonito. Y .... rojo también.
· Sí, son bonitos, pero mejor .... cuadro de allá.
· ¿.................? Es feísimo. ¿Y .... planta? ¿No te gusta?
· Sí, pero no sé. ¿Y .... reloj?
· Uy, sí, es precioso.

ACTÚO

Anota las direcciones postales de tus compañeros

8 **Aprende a dar direcciones postales**

A. Observa.

B. Relaciona las cartas con los textos.

1. Yo vivo en una casa, en la avenida de los Cipreses.
2. Pues yo vivo en un piso en Barcelona, en el quinto.
3. Yo vivo en una calle importante, en el tercer piso.
4. Y yo vivo en un pueblo pequeño, en la plaza más importante.

Pablo Gómez Bermudo
C/ Mayor, 5 - 3.º
28015 Madrid

Pilar Muñoz Puig
P.º Caballero de Gracia, 9 5.º B
08003 Barcelona

CORREO AEREO

Sara García Ruiz
Pza. Mayor, 3
40200 Cerezos (Segovia)

Antonio López Sanz
Avda. de los Cipreses, 2
28043 Madrid

CÓDIGO <D>

Las direcciones
Hazle las preguntas del recuadro a tu compañero y toma nota de su dirección postal.

¿Dónde vives?

Vivo en un piso.

¿Cómo es tu piso?

Es...

NÚMEROS ORDINALES

1.º	primero
2.º	segundo
3.º	tercero
4.º	cuarto
5.º	quinto

Extensión digital

www.edelsa

Zona estudiante

Participa
en la comunidad de
Código ELE

B L O G

Haz la descripción
de tu casa.
Mira la página 71.

Un anuncio de un perro

Pista 36

Sonia:	Mira, ¡qué bonito! ¿Llamamos?
Hugo:	Espera... Y tus padres, ¿están de acuerdo?
Sonia:	Sí, sí. A mi madre le gustan mucho los perros.
Marta:	¿Diga?
Sonia:	Hola, llamo por el perro.
Marta:	Ah, sí. Mira, tiene 6 meses y es... ¿por qué no vienes a verlo?
Sonia:	Vale, ¿dónde vives?
Marta:	En la calle San Miguel, número 4.
Sonia:	¿Y dónde está? Yo ahora estoy en el instituto Guillén.
Marta:	Pues es muy fácil: ve todo recto, gira la segunda a la derecha y la cuarta a la izquierda.
Sonia:	¡Vale! Ahora mismo voy.
Marta:	Muy bien. Hasta ahora.
Sonia:	Chao.
Hugo:	Espera... Primero ve a tu casa y pide permiso a tus padres.

> Sonia, ¡mira el anuncio!

> Doy perro.
> Es negro y marrón.
> Tiene 6 meses.
> Teléfono:
> 652 14 88 32.

COMPRENDO

1 **Contesta a las preguntas.**

1. ¿Dónde están los dos amigos?
2. ¿De qué animal habla el anuncio? ¿Cómo es?
3. ¿Cuál es la dirección de Marta?
4. ¿Qué tiene que hacer Sonia antes de ir a ver al perro?

> Los dos amigos están en...

PRACTICO Y AMPLÍO

2 DESCRIBIR LA CIUDAD

A. Relaciona los establecimientos con su nombre.

LA CIUDAD

 la panadería

 la tienda de ropa

 la farmacia

 la librería

 el restaurante

 el instituto

 el cine

 el parque

 la peluquería

 la piscina

 el supermercado

 la frutería

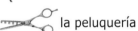 la carnicería

 el polideportivo

B. Clasifica las palabras.

Tiendas	Espacio para el deporte	Otros

3 LOS VERBOS «IR» Y «VENIR»

A. Observa.

	VENIR
(yo)	vengo
(tú)*	vienes
(él, ella, usted)	viene
(nosotros, nosotras)	venimos
(vosotros, vosotras)	venís
(ellos, ellas, ustedes)	vienen
*(vos)	venís

IR AL/A LA

ir al + nombre masculino
ir a la + nombre femenino

• ¿Adónde vais?
• Vamos al cine y a la piscina.

VENIR DEL/DE LA

venir del + nombre masculino
venir de la + nombre femenino

• ¿De dónde vienes?
• Vengo del parque y de la librería.

PRACTICO Y AMPLÍO

B. Completa las frases y conjuga los verbos, como en el ejemplo.

1. (Venir, nosotros) ..... *Venimos* ..... 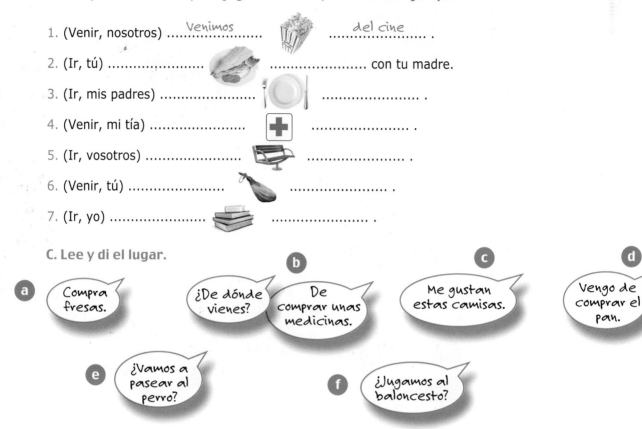 ..... del cine ..... .

2. (Ir, tú) .... con tu madre.

3. (Ir, mis padres) ....

4. (Venir, mi tía) ....

5. (Ir, vosotros) ....

6. (Venir, tú) ....

7. (Ir, yo) ....

C. Lee y di el lugar.

a Compra fresas.

b ¿De dónde vienes?   De comprar unas medicinas.

c Me gustan estas camisas.

d Vengo de comprar el pan.

e ¿Vamos a pasear al perro?

f ¿Jugamos al baloncesto?

D. Relaciona los lugares con los bocadillos anteriores.

1. Está en esas tiendas de ropa de allí, de detrás de la plaza.
2. Se van allá, a aquel parque tan bonito.
3. Va a ir a aquella frutería que está allá lejos.
4. Viene de la farmacia que está aquí cerca, junto a mi casa.
5. Van al polideportivo ese que está allí, junto a su instituto.
6. Viene de comprar el pan de esa panadería.

E. ¿Adónde van para...? Forma frases, como en el ejemplo.

1. (Yo) Comprar pan.
2. (Nosotros) Pasear al perro.
3. (Ellos) Ver una película.
4. (Tú) Jugar al fútbol.
5. (Vosotros) Comprar un libro.
6. (Sonia) Comer con sus padres.

Voy a comprar a la panadería.

---

4   **LOS MEDIOS DE TRANSPORTE**

Indica cómo vas a estos lugares y escríbelo.

 El autobús

La bicicleta

El coche

El metro

1. Al instituto.
2. A casa de tus abuelos.
3. Al centro social.
4. Al parque más cercano a tu casa.

CTÚO

Aprende a dar direcciones

5

Descubre cómo llegar a casa de tus amigos

A. Escucha y lee las frases y los ordinales.

¿Cómo se va a tu casa?

Primero vas todo recto. Giras la primera a la derecha y cruzas la plaza. Luego, giras a la izquierda.

Vas todo recto

Cruzas la plaza

LOS ORDINALES

primero, primera
segundo, segunda
tercero, tercera
cuarto, cuarta
quinto, quinta
sexto, sexta
séptimo, séptima
octavo, octava
noveno, novena
décimo, décima

Giras la segunda a la izquierda

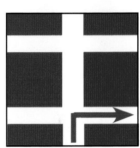
Giras la primera a la derecha

B. Mira el plano en el ordenador de Sonia. Escucha de nuevo cómo ir a casa de Marta y traza el camino en el plano con tu dedo desde la casa de Sonia.

Instituto

CÓDIGO <P>

Los planos y los mapas

Explica cómo ir del instituto a tu casa.

Primero, vas todo recto. Luego, giras...

EDUCACIÓN PARA LA CIUDADANÍA

El respeto y el cuidado de los animales

1

Lee y contesta a las preguntas de la encuesta.

ENCUESTA

MASCOTAS

1 ¿Te gustan los animales?
- ☐ Sí, mucho.
- ☐ Un poco.
- ☐ No.

3 ¿Tu mascota es un miembro de la familia más?
- ☐ Sí.
- ☐ No.

2 ¿Qué haces para tener una mascota?
- ☐ Vas a una tienda.
- ☐ Contestas a un anuncio.
- ☐ Buscas en Internet.

4 ¿Quién da de comer a tu mascota todos los días?
- ☐ Yo.
- ☐ Mis padres.

2

Lee este extracto.

Declaración universal de los derechos del animal

Artículo 2
a) Todo animal tiene derecho al respeto.
b) El hombre es una especie animal, y no tiene el derecho de exterminar a los otros animales o de explotarlos. Tiene la obligación de poner sus conocimientos al servicio de los animales.
c) Todos los animales tienen derecho a la atención, a los cuidados y a la protección del hombre.

Artículo 3
Ningún animal debe ser maltratado ni sufrir actos crueles.

Artículo 6
[...]
El abandono de un animal es un acto cruel y degradante.

Artículo 11
Todo acto que implique la muerte de un animal sin necesidad es un biocidio, es decir, un crimen contra la vida.

Artículo 12
a) Todo acto que implique la muerte de un gran número de animales salvajes es un genocidio, es decir, un crimen contra la especie.

Artículo 13
a) Un animal muerto debe ser tratado con respeto.
b) Las escenas de violencia en las cuales los animales son víctimas deben ser prohibidas en el cine y en la televisión, excepto si tienen un valor educativo para mostrar que no se puede hacer.
c) Los derechos del animal deben ser defendidos por la ley, como lo son los derechos del hombre.

Extracto adaptado

3

Marca con una cruz si es verdadero o falso.

	V	F
1. El hombre pertenece a la especie animal.	☐	☐
2. Abandonar un animal está permitido.	☐	☐
3. El hombre como el animal debe ser tratado con respeto.	☐	☐
4. En el cine y la televisión se pueden utilizar los animales para escenas de violencia.	☐	☐
5. El genocidio se aplica solo a los hombres.	☐	☐
6. Un biocidio es un crimen contra la vida.	☐	☐
7. Un genocidio es un crimen contra la especie.	☐	☐

ESPACIO INTERDISCIPLINAR

¡ME GUSTA LA BIOLOGÍA!

1 LEE ESTE ARTÍCULO SOBRE MASCOTAS DE UNA REVISTA PARA ADOLESCENTES.

MASCOTAS

LOS ESPAÑOLES Y LOS ANIMALES DOMÉSTICOS

En España, 8,5 millones de familias tienen una mascota.
- 6 millones de pájaros.
- 5 millones de perros.
- 4 millones de gatos.
- 4 millones de peces.
- 2 millones de pequeños mamíferos, roedores y reptiles.

MAMÍFEROS

El hurón   El perro   El gato

ROEDORES

El conejo   El ratón   El hámster   El conejillo de Indias

PÁJAROS

El canario   El periquito

OTROS

La tortuga   El pez

2 CONTESTA A ESTAS PREGUNTAS.

1. ¿Cuál es el animal preferido de los españoles?
2. ¿Cuántos animales tienen los españoles en total?
3. Escribe el nombre de:

    3 roedores: ...., ..., ...
    1 reptil: ....

LOS ADJETIVOS

MASCULINO	FEMENINO
cariñoso, bonito, bueno	cariñosa, bonita, buena
fiel	fiel
juguetón, dormilón	juguetona, dormilona
obediente, inteligente	obediente, inteligente

3 ¿VERDADERO O FALSO?

V F

1. El periquito es más grande que el canario. ☐ ☐
2. La tortuga es menos rápida que el conejo. ☐ ☐
3. El gato es más inteligente que el hámster. ☐ ☐
4. El perro es menos fiel que el ratón. ☐ ☐
5. El gato es tan juguetón como el perro. ☐ ☐
6. El pez es más obediente que el perro. ☐ ☐
7. El hámster es más pequeño que el pez. ☐ ☐

LOS COMPARATIVOS

= Tomi es tan bueno como Lulú.
+ Lulú es más juguetón que Tomi.
− Lulú es menos dormilón que Tomi.

AHORA YA SÉ

Comunicación

Describe tu casa

1. Responde a las preguntas.

1. ¿Cuántas habitaciones tiene? ....
2. ¿Es una casa o un piso? ....
3. ¿Dónde está? ....
4. ¿Cuál es la dirección? ....
5. ¿Cuántas personas viven en la casa? ¿Quiénes son? ....

Gramática

Ir al/a la

2. Conjuga el verbo ir en presente, escribe al o a la y el nombre del lugar.

1. (Yo) ....

4. (Nosotros) ....

2. (Vosotras) ....

5. Mis amigos ....

3. Pedro ....

6. (Tú) ....

Venir del/de la

3. Conjuga el verbo venir en presente, escribe del o de la y el nombre del lugar.

1. (Yo) ....

4. (Nosotros) ....

2. (Vosotras) ....

5. Mis amigos ....

3. Pedro ....

6. (Tú) ....

Los ordinales

4. Ordena las palabras. Luego, escribe todas las formas en femenino.

MASCULINO		FEMENINO
....	cuarto	....
....	décimo	....
....	noveno	....
....	octavo	....
....	primero	....
....	quinto	....
....	segundo	....
....	séptimo	....
....	sexto	....
....	tercero	....

Los muebles

5. Escribe los nombres de los muebles.

1. ....

2. ....

3. ....

4. ....

5. ....

6. ....

7. ....

8. ....

9. ....

10. ....

11. ....

La casa y los muebles

6. Relaciona según están los muebles en tu casa.

1. el armario
2. la cama
3. el espejo
4. el friegaplatos
5. la lavadora
6. la mesa grande
7. la mesa baja
8. la mesilla
9. la nevera
10. la silla
11. el sillón
12. el sofá
13. el televisor

a. la cocina
b. el salón
c. el pasillo
d. el baño
e. la habitación

LEO Abel nos describe su casa. Señala cuál de las dos imágenes corresponde a la descripción.

Tenemos una casa nueva. Bueno, no es totalmente nueva. Es la casa de mis abuelos, que está reformada. Tiene siete ventanas, dos cuartos de baño, la habitación de mis padres y la habitación de mi hermano y mía, una cocina, un salón comedor grande, el despacho de papá y un saloncito en el pasillo. Es muy bonita, pero nuestra habitación es pequeña.

ESCUCHO Escucha a estos tres chicos que te dan su dirección y escríbela.

Pista 38

1. ....
2. ....
3. ....

ESCRIBO Chatea con un nuevo amigo español. Contesta a sus preguntas.

¿Cómo se llama tu barrio?   ....
¿Qué tiendas hay en tu barrio?   ....
¿Cuál es tu dirección?   ....
¿Cómo vas al instituto?   ....

HABLO Elige un lugar y explica a tu compañero cómo llegar. Luego, escucha a tu compañero y marca el camino.

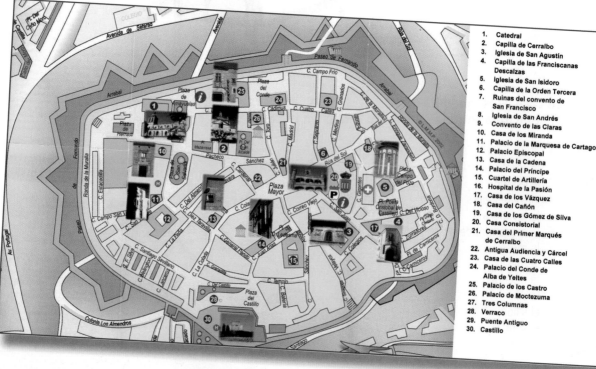

1. Catedral
2. Capilla de Cerralbo
3. Iglesia de San Agustín
4. Capilla de las Franciscanas Descalzas
5. Iglesia de San Isidoro
6. Capilla de la Orden Tercera
7. Ruinas del convento de San Francisco
8. Iglesia de San Andrés
9. Convento de las Claras
10. Casa de los Miranda
11. Palacio de la Marquesa de Cartago
12. Palacio Episcopal
13. Casa de la Cadena
14. Palacio del Príncipe
15. Cuartel de Artillería
16. Hospital de la Pasión
17. Casa de los Vázquez
18. Casa del Cañón
19. Casa de los Gómez de Silva
20. Casa Consistorial
21. Casa del Primer Marqués de Cerralbo
22. Antigua Audiencia y Cárcel
23. Casa de las Cuatro Calles
24. Palacio del Conde de Alba de Yeltes
25. Palacio de los Castro
26. Palacio de Moctezuma
27. Tres Columnas
28. Verraco
29. Puente Antiguo
30. Castillo

Expresa tus deseos

> Yo tengo un deseo y es que quiero tener muchos amigos. Y tú, ¿qué quieres?

En esta unidad aprendes a...

- Expresar deseos.
- Indicar los gustos y las preferencias.
- Contar una biografía.
- Narrar las actividades pasadas.
- Describir a tus héroes.

¡Pide un deseo!

 Pista 39

Tengo un sueño

Elena: Tengo un sueño: quiero nadar con los delfines del parque de atracciones. Y vosotros, ¿también tenéis un sueño? ¿Qué queréis hacer?

Vicente: Jugar al baloncesto con Pau Gasol (1), es mi jugador favorito.

Bea: Yo quiero ir a un concierto de Shakira (2), me gustan mucho sus canciones.

Tomás: Yo prefiero Ricky Martín (3).

Bea: ¿Y cuál es tu deseo?

Tomás: Quiero subir a un coche de carreras con Fernando Alonso (4).

Bea: Tengo otro deseo: entrevistar a Pedro Duque (5) y viajar en un cohete para ver las nubes y La Tierra desde el espacio.

Elena: Y yo quiero ver un desfile de Agatha Ruiz de la Prada (6) y... sacarme una foto con Antonio Banderas (7) o con Rafa Nadal (8). ¡Hace calor! ¿Vamos a mi casa a tomar algo?

Todos: ¡Vale!

COMPRENDO

1 **¿Conoces a las personas de las fotos?**

> Conozco a Shakira.

2 **Observa las fotos y relaciona los textos con las personas.**

1. Es un astronauta
2. Es un jugador de baloncesto
3. Es un cantante
4. Es una diseñadora de moda
5. Es un jugador de tenis
6. Es una cantante
7. Es un conductor de Fórmula 1
8. Es un actor

a. Pedro Duque
b. Rafa Nadal
c. Shakira
d. Agatha Ruiz de la Prada
e. Antonio Banderas
f. Pau Gasol
g. Fernando Alonso
h. Ricky Martin

PRACTICO Y AMPLÍO

3 DESEOS Y PREFERENCIAS

A. Lee de nuevo el diálogo y completa estas frases.

1. .... nadar con los delfines del parque de atracciones.
2. ¿Qué .... hacer?
3. Yo .... ir a un concierto de Shakira.
4. Yo .... Ricky Martin.
5. .... subir a un coche de carreras.

Quiero aprender a montar a caballo.

Yo prefiero hacer un viaje en barco.

«QUERER/PREFERIR» + INFINITIVO

Deseo		Otra preferencia		
quiero quieres quiere queremos queréis quieren	• navegar por Internet. • ver la tele. • escribir un SMS.		prefiero prefieres prefiere preferimos preferís prefieren	• pasear por el parque. • hacer deporte. • salir con mis amigos.

Verbos con pronombre: El pronombre concuerda con la persona en la que va conjugado el verbo.
• Con querer, el pronombre va antes de querer o después del infinitivo formando una sola palabra.
• Con preferir, el pronombre va después del infinitivo formando una sola palabra.

B. Completa las frases con un pronombre: «me», «te», «se», «nos», «os», «se».

1. yo   Quiero levantar.....me..... ./....Me..... quiero levantar.
2. tú   Prefieres quedar........... en casa.
3. él, ella, Ud.   Natalia quiere vestir............ ./Natalia .... quiere vestir.
4. nosotros/as   Preferimos acostar........... más tarde.
5. vosotros/as   ¿Queréis ir........... ahora?/¿........... queréis ir ahora?
6. ellos, ellas, Uds.   Mis amigos prefieren duchar........... en su casa.

C. Forma frases, como en el ejemplo.

1. Álex  ...quiere adoptar un perro..., pero sus padres  ...prefieren adoptar un gato... .

2. (Yo)  ...., pero tú ....

3. (Nosotros) ...., pero vosotros ....

4. (Tú) ...., pero tus amigos ....

5. Carlos ...., pero su hermano ....

6. Mis amigas ...., pero yo ....

PRACTICO Y AMPLÍO

4 EL TIEMPO

A. Observa.

QUÉ TIEMPO HACE?

Hace **bueno** · **calor** · **frío**
sol · **viento**

Hay **niebla** · **nubes** · **tormenta**

Está **lloviendo** · **nevando**

Pista 40

B. Escucha. ¿Qué le gusta hacer a Inés en cada situación? Escribe el número.

1. Hace calor. 2. Está lloviendo. 3. Hace bueno. 4. Hace frío. 5. Hay tormenta.

C. Y a ti, ¿qué te gusta hacer en cada situación? Habla con tus compañeros.

- Cristina, ¿qué te gusta hacer cuando hace bueno?
- Me gusta ir a la piscina y bañarme. Y a ti, Carlos, ¿qué te gusta hacer cuando hace frío?
- Pues... Me gusta...

D. ¿Qué tiempo hace en cada estación? Relaciona con flechas. Luego forma una frase.

La primavera   **El verano**   **El otoño**   **El invierno**

E. Ahora, di el nombre de una estación, la clase dice palabras.

- El verano.
- El sol, las vacaciones, el calor, los melocotones...
- El mar...

ACTÚO

Hago una estadística sobre los deseos de la clase

5 Y tú, ¿qué sueños tienes?

A. En grupos de 4. Completa las listas con tus compañeros.

Conocer a una persona famosa (del cine, del deporte, de la música, de la tele...).

Ir a un parque temático, un concierto, una fiesta gigante...

Hacer un viaje (indica los países y los medios de transporte: avión, tren, coche, barco, moto...).

Aprender a hacer una actividad (un deporte, tocar un instrumento, fotografía...).

Ver un museo.

Visitar una ciudad.

Comprar algo muy especial para ti.

Hacer algo extraordinario: jugar con un cachorro de león, nadar con un delfín, montar en globo, hacer un safari en África, visitar el fondo del mar...

B. Elige 5 actividades. Luego, compara tus respuestas con las de tus compañeros.

- Yo quiero montar en una moto de carreras, jugar con un cachorro de león...
- Pues yo prefiero montar en globo, en primavera, cuando hace bueno y...
- Y yo quiero practicar espeleología, aprender a tocar la guitarra...
- Yo también quiero montar en una moto de carreras, pero no me gusta la espeleología, prefiero el submarinismo. Cuando hace calor, me gusta hacer surf.

www.edelsa

Zona estudiante

Participa en la comunidad de Código ELE

Escribe la actividad que más te gusta.

 ## CÓDIGO <T>

Tus deseos
Ahora, presenta a la clase las 4 actividades más mencionadas en tu grupo. ¿Cuál es la actividad preferida de la clase?

12 Un trabajo sobre Pedro Duque

Un astronauta español en las nubes

El astronauta Pedro Duque

Pedro Duque nació el 14 de marzo de 1963 en Madrid.

Es ingeniero aeronáutico (1986) por la Universidad Politécnica de Madrid.

Después de la universidad, completó su formación en centros especializados de Alemania, Rusia y EE. UU., se entrenó en la Ciudad de las Estrellas de Moscú y participó en diferentes programas espaciales.

Hizo diferentes vuelos al espacio, por ejemplo:
- En octubre de 1998, salió al espacio a bordo del transbordador Discovery.
- En octubre de 2003, trabajó en la Estación Espacial Internacional para la realización de la Misión Cervantes.

Realizó un extenso programa experimental en las áreas de Biología, Fisiología, Física, la observación de La Tierra, el estudio del Sol, las nuevas tecnologías…

Actualmente es presidente de una empresa dedicada a la explotación de datos obtenidos por satélites de observación de La Tierra.

En el futuro, quiere viajar a Marte, porque está convencido de que la vida del hombre de forma estable en el espacio es posible.

COMPRENDO

1 El trabajo de Bea está incompleto, no tiene títulos. Escríbelos sobre los párrafos correspondientes.

1. Sus principales vuelos

2. Formación y experiencias

3. Datos personales

4. Trabajo actual

5. Estudios

6. Sus experimentos en el espacio

7. Su sueño

PRACTICO Y AMPLÍO

2 HABLAR DEL PASADO

¿Cuándo terminaste el trabajo sobre Duque?

Ayer.

En el texto hay un nuevo tiempo: el pretérito perfecto simple. Escribe las formas correspondientes junto a estos 6 infinitivos.

1. nacer .... 4. hacer ....
2. participar .... 5. salir ....
3. entrenarse .... 6. realizar ....

3 EL PRETÉRITO PERFECTO SIMPLE

CONTAR ACTIVIDADES

- ¿Qué hiciste el sábado?
- Visité el zoo. ¿Y tú?
- Jugué al fútbol con unos amigos.

CUÁNDO
- ayer
- el lunes, el martes... (pasado)
- el año pasado, el verano pasado, el mes pasado, la semana pasada
- en enero, en febrero, en marzo...

(yo)
(tú, vos)
(él, ella, usted)
(nosotros, nosotras)
(vosotros, vosotras)
(ellos, ellas, ustedes)

HABLAR	COMER	ESCRIBIR
hablé	comí	escribí
hablaste	comiste	escribiste
habló	comió	escribió
hablamos	comimos	escribimos
hablasteis	comisteis	escribisteis
hablaron	comieron	escribieron

- pasar
- levantarse
- escuchar
- montar
- escribir
- salir
- ver
- hablar
- leer
- llegar
- volver
- pasear

A. Completa las frases con los verbos de la lista en pretérito perfecto simple.

1. Ayer (nosotros) .... en bici por el parque, luego .... al perro.
2. El miércoles (yo) .... con mis amigos y les .... unos SMS.
3. El verano pasado César .... las vacaciones en la playa con sus primos.
4. La semana pasada (tú) .... un libro muy interesante.
5. El jueves (vosotros) .... una película muy bonita.
6. Ayer (yo) .... para ir al instituto a las ocho y .... a las tres.
7. El miércoles, Beatriz .... a las ocho y .... tarde al instituto.
8. Ayer, mis padres .... música en el salón.

 Pista 41

B. Observa las ilustraciones y escribe qué hizo Miguel el domingo pasado. Las ilustraciones están ordenadas, pero hay 4 intrusas. Luego, escucha y comprueba. ¿Cuántas actividades correctas tienes?

C. Y tú, ¿qué hiciste el domingo pasado?

4 UNA CLASE DE CIENCIAS

 A. Escucha y lee.

Carlos: Hicimos experimentos en la sala de la electricidad.

Sonia: Y realizamos un taller sobre los volcanes, me gustó mucho.

Carlos: En el planetario, nos sentamos en unos sofás muy grandes y observamos el cielo en una pantalla gigante. ¡Alucinante! Luego, vimos un documental en 3D sobre el sistema solar y aprendimos a localizar las estrellas. También vimos una exposición sobre la Estación Espacial Internacional.

Cristina: Mi sala preferida fue la sala dedicada al cuerpo humano. Una monitora nos explicó el funcionamiento del cerebro. Luego, montamos un esqueleto humano.

B. Observa las ilustraciones y añade los verbos que faltan en pretérito perfecto simple, en la forma «ellos».

1. .... experimentos eléctricos.

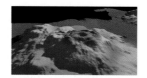

2. .... un taller sobre los volcanes.

3. .... un esqueleto humano.

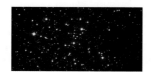

4. .... el cielo en una pantalla gigante.

5. .... un documental sobre la Estación Espacial Internacional.

C. Observa y completa las frases con uno de los verbos.

	JUGAR	LEER	ESTAR	HACER	IR	VER
(yo)	jugué	leí	estuve	hice	fui	vi
(tú)	jugaste	leíste	estuviste	hiciste	fuiste	viste
(él, ella, usted)	jugó	leyó	estuvo	hizo	fue	vio
(nosotros, nosotras)	jugamos	leímos	estuvimos	hicimos	fuimos	vimos
(vosotros, vosotras)	jugasteis	leísteis	estuvisteis	hicisteis	fuisteis	visteis
(ellos, ellas, ustedes)	jugaron	leyeron	estuvieron	hicieron	fueron	vieron

1. Ayer (nosotros) .... en bici por el parque, luego .... con el perro.
2. Anoche (él) .... una película en la tele y luego .... un libro.
3. Ayer (yo) .... en el instituto hasta las cinco, luego .... los deberes.
4. El lunes por la tarde (yo) .... con la consola en mi habitación.
5. El verano pasado nosotros .... a la playa, a casa de unos tíos.
6. La semana pasada Inés no .... al instituto por una gripe.
7. Y tú, ¿qué .... el fin de semana?

ACTÚO

Descubre los ídolos de la clase

5

¿Sabes quiénes son estos personajes famosos?

A. Lee una tarjeta, la clase adivina quién es y dice el número de la foto.

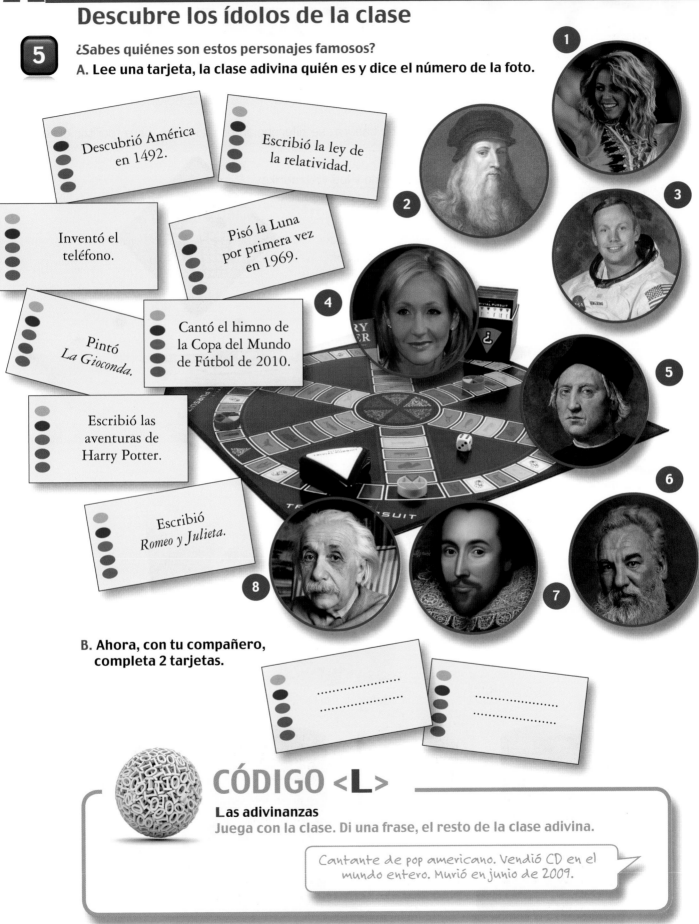

Descubrió América en 1492.

Escribió la ley de la relatividad.

Inventó el teléfono.

Pisó la Luna por primera vez en 1969.

Pintó *La Gioconda*.

Cantó el himno de la Copa del Mundo de Fútbol de 2010.

Escribió las aventuras de Harry Potter.

Escribió *Romeo y Julieta*.

1
2
3
4
5
6
7
8

B. Ahora, con tu compañero, completa 2 tarjetas.

CÓDIGO <L>

Las adivinanzas
Juega con la clase. Di una frase, el resto de la clase adivina.

Cantante de pop americano. Vendió CD en el mundo entero. Murió en junio de 2009.

EDUCACIÓN PARA LA CIUDADANÍA
La Tierra, un planeta frágil

Tu pequeña contribución para preservar el planeta: aprende a seleccionar la basura

En España, hay 5 tipos de contenedores de basura, se diferencian por su color, para facilitar el reciclaje.

Contenedor verde: para el vidrio.
Contenedor amarillo: para el metal, el plástico y los «tetrabriks».
Contenedor azul: para el papel y el cartón.
Contenedor gris: para los restos de comida.
Contenedores especiales: para pilas.

1

Clasifica cada basura en el contenedor correspondiente.

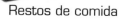

a

Restos de comida

b
Botella

c
Periódicos viejos

d

Cáscara de plátano

e

Lata

f
Botellas de agua

g

Bolsa de basura

h

Papeles usados

i

Tetrabrick

| PAPEL Y CARTÓN | ENVASES Y PLÁSTICO | VIDRIO | MATERIA ORGÁNICA |

ESPACIO INTERDISCIPLINAR

¡ME GUSTAN LAS CIENCIAS!

- Júpiter
- Marte
- Mercurio
- Neptuno
- Saturno
- La Tierra
- Urano
- Venus

1 LEE LAS FRASES E INDICA LA POSICIÓN DE CADA PLANETA CON RELACIÓN AL SOL.

- El último planeta es Neptuno.
- Venus es el segundo planeta.
- El nombre del quinto planeta tiene el acento tónico en la antepenúltima sílaba.
- El nombre del primer planeta empieza por "M" y no contiene la "a".
- Entre Júpiter y Neptuno hay 2 planetas, uno de ellos es enorme y se llama «Saturno».
- Nuestro planeta está entre Venus y Marte, que es el planeta de color rojo.
- El séptimo planeta tiene 5 letras (3 vocales y 2 consonantes).

2 CINCO DE LOS SIETE NOMBRES DE LOS DÍAS DE LA SEMANA VIENEN DE LOS NOMBRES DE LOS PLANETAS. CON TU COMPAÑERO, ADIVINA CUÁLES SON, FÍJATE EN EL EJEMPLO.

La Luna.

Lunes.

3 ADIVINA Y RELACIONA LOS PLANETAS CON LA DESCRIPCIÓN.

a. ¿Cuál es el más grande?

b. ¿Cuál es el más próximo al Sol?

c. ¿Cuál es el planeta azul?

d. ¿Cuál es el planeta más parecido a La Tierra?

e. ¿Cuál es el tercero en tamaño?

f. ¿Cuál es el último?

g. ¿Cuál es rojo?

h. ¿Cuál tiene unos anillos de satélites?

Comunicación

Informar de las actividades pasadas

1. Relaciona las preguntas con las respuestas.

1. ¿Qué hiciste ayer?
2. ¿Dónde comiste el viernes pasado?
3. ¿Quién ganó el partido del fin de semana?
4. ¿Con quién escribiste este trabajo para la clase de Ciencias?
5. ¿Por qué saliste de casa tan temprano?

a. Porque me invitaron mis abuelos a desayunar en su casa.
b. Nosotros, no, perdimos.
c. Estudié con Marisa, pero lo escribí yo solo.
d. En el instituto.
e. Paseé con mi perro por el campo y por la tarde vi una película.

Hablar de tus actividades

2. Responde a las preguntas.

1. ¿Qué comiste ayer?
2. ¿Viste la televisión?
3. ¿En qué año naciste?
4. ¿Dónde conociste a tu mejor amigo o amiga?

....
....
....
....

Los verbos «ser» e «ir» en pasado

3. Relaciona y forma frases.

1. Mi equipo, el año pasado, fue
2. Nosotros fuimos al
3. Tú fuiste a una
4. Mi abuelo fue

a. cine y vimos una película muy buena.
b. pizzería, pero comiste una ensalada.
c. médico y trabajó en un hospital.
d. el campeón de la competición.

Gramática

El presente: «conocer», «querer», «preferir»

4. Escribe las formas en presente.

1. ¿(Conocer, tú) .... al hermano de Pedro?
2. (Querer, yo) .... ir a la piscina con mis amigos.
3. Alberto (preferir) .... ver una película.
4. No (conocer, nosotros) .... a tus padres.
5. ¿(Querer, tú) .... jugar al tenis el miércoles?
6. (Querer, ellos) .... escuchar música.
7. (Preferir, nosotros) .... ver la tele.
8. ¿(Conocer, vosotros) .... al nuevo profesor?
9. (Preferir, yo) .... merendar a las cinco.
10. (Querer, nosotros) .... llamar a José.

El pretérito perfecto simple

5. Escribe las formas del pretérito perfecto simple.

	1. jugar		1. ser		1. leer	

yo
1. jugar
2. estar
3. llegar

tú
1. ser
2. hacer
3. ver

él
1. leer
2. hacer
3. jugar

nosotros
1. estar
2. ser
3. hacer

vosotros
1. ir
2. ver
3. leer

ellos
1. ser
2. leer
3. estar

6. Escribe las formas en pretérito perfecto simple y relaciona las dos partes de cada frase.

1. Ayer (ir, nosotros) .... a una fiesta...
2. El verano pasado (visitar, José) .... el Museo...
3. El lunes (pasear, yo) .... al perro...
4. La semana pasada (ver, ellos) .... una película...
5. El domingo (jugar, tú) .... al fútbol...
6. Ayer (salir, Esther) .... del instituto...
7. El sábado (nadar, vosotros) .... durante una hora...
8. Ayer (escribir, yo) .... un «e-mail»...
9. El domingo (comer, nosotros) .... con nuestra abuela...
10. El viernes (escuchar, mi padre) .... música...

a. por el parque.
b. en la piscina.
c. a las cuatro y media.
d. clásica en el salón.
e. de cumpleaños.
f. de ciencia ficción.
g. en el polideportivo.
h. de la Ciencia.
i. en un restaurante.
j. a una amiga.

Léxico

Momentos de la vida

7. Relaciona los verbos con las imágenes. Luego, escribe frases con las expresiones sobre ti mismo.

> • nacer • aprender a montar en bici • ganar un partido • hacer nuevos amigos • comer en un restaurante exótico • viajar

1.
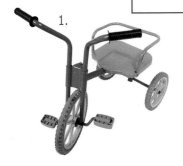

2.

3.

4.

5.

6.

LEO Escribe los verbos en pretérito perfecto simple.

El sábado (ir, yo) .... a casa de Carlos. (Llegar, yo) .... a las once. (Hacer, nosotros) .... los deberes. (Comer, yo) .... con sus padres. Por la tarde (venir, ellos) .... otros amigos y (ver, nosotros) .... un vídeo. Luego, (llamar, yo) .... a Lola y (ir, nosotros) .... todos a su casa. (Merendar, nosotros) .... en el jardín. (Volver, yo) .... a casa a las ocho. Después de cenar, (leer, yo) .... y (acostarse, yo) .... a las diez.

ESCUCHO El profesor de Ciencias quiere ir al Museo de la Ciencia con sus alumnos y llama por teléfono. Escucha la conversación. Luego, elige la opción correcta.

1. En el planetario hay
   a. un documental sobre el sistema solar.
   b. una exposición sobre el sistema solar.

2. Los alumnos pueden montar
   a. un esqueleto de delfín con ordenador.
   b. un esqueleto de dinosaurio con ordenador.

3. En el laboratorio van a
   a. hacer experimentos con la electricidad.
   b. ver un documental sobre la electricidad.

4. Van a ver un documental
   a. sobre los delfines.
   b. sobre los bosques de España.

5. También pueden ver
   a. fotos de los océanos sacadas desde el cielo.
   b. fotos de los bosques sacadas desde el cielo.

ESCRIBO Chatea con un nuevo amigo español. Contesta a su pregunta.

¿Qué hiciste el fin de semana pasado?

HABLO Habla con tu compañero.

A

Explica a tu compañero qué quiere hacer Nuria este fin de semana.

Sábado

Domingo

Ahora, escucha a tu compañero. ¿Qué actividades en común tienen Nuria y Fran?

B

¿Fran y
¿Qué actividades en común tienen Nuria
hacer Fran este fin de semana.
Ahora explica a tu compañero qué quiere

Domingo

Sábado

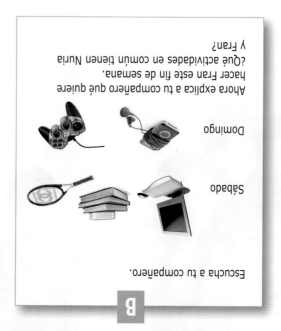

Escucha a tu compañero.

Carpeta de actividades
complementarias

Contiene:

6 proyectos interculturales

1. ¿Qué es ser «ciudadano del mundo»?
2. Los hábitos españoles
3. ¿Cómo es la Navidad?
4. Descubre Buenos Aires
5. Descubre Madrid
6. El Parque Natural de Doñana

3 lecturas (una por trimestre)

3 juegos

1. Descubre México
2. Descubre Argentina
3. Descubre España

Proyecto
intercultural

¿Qué es ser «ciudadano del mundo»?

1. **Lee las definiciones siguientes.**

❶ Una persona es «ciudadana del mundo» si viaja mucho, trabaja y vive en varios países, y tiene experiencias interculturales: asimila varias culturas.

❷ ## Ciudadano del mundo

Un **ciudadano del mundo** o **cosmopolita** (del griego κοσμοπολίτης, y este de κόσμος, 'universo', 'orden', y πόλις, 'ciudad') es una persona que considera que la división actual de los países y estados es geopolítica. Es decir, artificial. Los ciudadanos del mundo son ciudadanos de La Tierra, del mundo, o del cosmos. Son seres humanos.

Ellos responden que primero son internacionales y, luego, son de su país.

(Texto adaptado de Wikipedia)

Séneca

Filósofo estoico. Nace en Córdoba (España, 4 a.C. - 65). Senador del Imperio Romano con los emperadores Tiberio, Calígula, Claudio y Nerón.

2. **Según los textos anteriores, marca si es verdadero o falso.**

El ciudadano del mundo...

	V	F
1. admite las fronteras.	☐	☐
2. considera que su patria es su país.	☐	☐
3. vive en muchos países y asimila varias culturas.	☐	☐
4. es ciudadano de La Tierra antes que de su país.	☐	☐

3. **¿Qué diferencias hay entre la definición 1 y la 2?**

Escribe las 2 frases de cada definición que marcan las diferencias.

Un ciudadano del mundo es...

Hispanos por el mundo.

a. Lee lo que dicen estos hispanos conocidos en todo el mundo y di de dónde son y dónde viven.

b. ¿Cuál es la capital de España? ¿Recuerdas los nombres de los países hispanos?

¡Hola!, me llamo Lionel Messi y soy argentino, de Rosario. Ahora vivo en Barcelona.

¡Hola! ¿Qué tal? Soy Alejandro Sanz. Soy un cantante español. Vivo en Miami, en los Estados Unidos.

¡Hola! Yo soy futbolista, como Lionel, pero vivo en Alemania. Soy de Madrid. Ah, me llamo Raúl, Raúl González.

Yo soy escritor y soy de Arequipa, al sur de Perú, pero vivo en España. Soy español y peruano. Me llamo Mario Vargas Llosa.

Y yo soy actor. Me llamo Antonio Banderas. Ahora vivo en Los Ángeles, pero soy de Málaga, en el sur de España.

Yo también soy cantante, pero soy colombiana. ¿Me conoces? Soy Shakira y vivo en Barranquilla (Colombia).

c. ¿Qué personajes famosos de tu país viven o trabajan en otros países? ¿Cuáles son los personajes de tu país más internacionales?

Proyecto
intercultural

1. Los adolescentes españoles y el tiempo libre.

Lee el documento y responde.
1. ¿Cuál es la principal actividad de los jóvenes?
2. ¿Están en las redes sociales?
3. ¿Para qué usan las redes?
4. Mira la lista de actividades de los jóvenes españoles, confecciona la tuya y preséntala al resto de la clase.

Jóvenes de hoy

Los adolescentes españoles y el tiempo libre

Según diferentes estudios realizados entre alumnos de 1.º a 4.º de la Educación Secundaria Obligatoria (ESO), las actividades de tiempo libre preferidas de los adolescentes españoles son, en este orden:
- salir con amigos,
- escuchar música,
- bailar,
- practicar deporte,
- ir al cine,
- ver la tele,
- navegar por Internet y usar las redes sociales,
- jugar con el ordenador o la consola,
- leer.

Pero la principal actividad cotidiana de los adolescentes de la ESO es el uso de las nuevas tecnologías, especialmente las redes sociales.
Usan las redes para:
- estar en contacto con amigos,
- subir, compartir y comentar las fotos de los amigos,
- mandar mensajes privados,
- conocer gente nueva,
- expresar sus intereses y opiniones.
Los aparatos tecnológicos como los móviles (para hablar, sacar fotos, escuchar música), los ordenadores y los MP4 son instrumentos esenciales en sus vidas.

El sistema escolar.

a. ¿A qué corresponden las siglas ESO?

b. Mira el sistema escolar español. Compáralo con el de tu país.

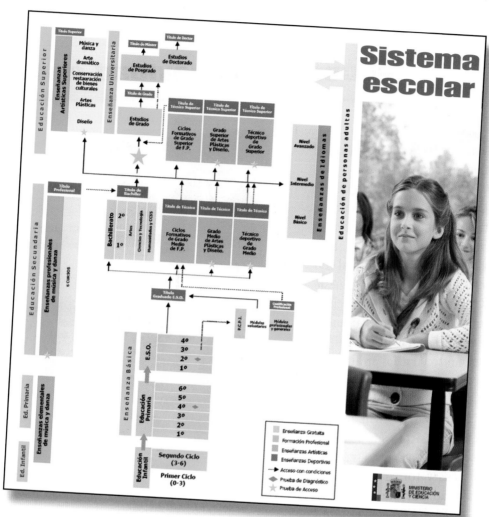

Los horarios de los españoles.

a. Lee el texto.

Los horarios españoles

Los horarios de los españoles son diferentes a los horarios de los otros países de la Unión Europea. En general, en un día normal, las actividades cotidianas se realizan más tarde.

Las comidas

- El desayuno: los españoles toman un café o un café con leche a las 8 y toman otro desayuno a las 11; en los institutos, los alumnos comen un bocadillo a la hora del recreo.
- La comida: comen entre las 2 y las 3 de la tarde.
- La merienda: los chicos españoles meriendan a las 5 de la tarde, normalmente un bocadillo de jamón, chorizo o queso.
- La cena: cenan a las 9 o a las 10 de la noche.

Las tiendas

Por las mañanas abren a las 9 o a las 10 y cierran a las 2.

Por las tardes abren a las 5 y cierran a las 8.

b. Dibuja con los horarios españoles.

Desayuno   Comida   Cena

c. Haz lo mismo con los horarios de tu país.

Proyecto
intercultural

El día de la lotería

Se puede decir que las fiestas de Navidad tienen 6 momentos importantes.

Por costumbre, se dice que las fiestas navideñas empiezan el 22 de diciembre con la lotería. Los niños de San Ildefonso *cantan* los números que salen de grandes bombos. Toda España respira al son de estos *cantos* y cada uno espera que le toque «el Gordo», es decir, el premio más importante. Juega todo el mundo, se juega en empresas, en institutos; se intercambian y ofrecen a los amigos billetes de lotería.

Luego, el 24 de diciembre, Nochebuena, las familias se reúnen y cenan juntos. Pueden cantar villancicos, que son canciones típicas navideñas. Lo común es cenar mariscos y tomar los típicos dulces de Navidad: turrones, polvorones y mazapán. El día 25, las familias se reúnen de nuevo para comer juntos. En muchas familias es tradicional comer cordero.

Billete de lotería

Turrón y mazapán

Belén

Polvorón

El día 31 es Nochevieja. La gran tradición es tomar uvas, toda la familia, al son del reloj de la Puerta del Sol de Madrid: una uva por cada golpe de campana. Luego se felicita el año nuevo.

El día 1, el día de Año Nuevo, hay una nueva comida familiar.

Y, por fin, para grandes y pequeños, el mejor momento: la llegada de los Reyes Magos, porque ellos traen todos los regalos. El día 5 sobre las 18:00 de la tarde en muchas ciudades y pueblos, se organizan desfiles, llamados «cabalgatas»: se ven carrozas, músicos, se tiran caramelos a los niños y al final cierran la cabalgata los Reyes en sus carrozas. Al día siguiente por la mañana, el día 6 de enero, encuentran los regalos y se come el roscón.

La vuelta al colegio tiene lugar dos días después.

Reloj de la Puerta del Sol

Las 12 uvas

Cabalgata de los Reyes Magos

Roscón de Reyes

1. Enumera los momentos claves de las fiestas navideñas con su nombre.

2. Di tres costumbres que se hacen en España.

3. Escribe un texto para explicar estas fiestas en tu país. ¿Qué diferencias hay con España?

Árbol de Navidad con regalos

Proyecto
intercultural

Descubre Buenos Aires

1. Observa el mapa de América Latina.

a. Rodea Argentina.
b. ¿Cuál es la capital?
c. Sitúala en el mapa.
d. Di los países que tienen frontera común con Argentina.
e. Sitúa el Estrecho de Magallanes y la Patagonia en el mapa.

2. Completa el texto con las palabras de la lista.

• La Boca	• mar	• turistas	• tres millones
	• tango	• clima	• cuarta

Buenos Aires está situada en la costa del río de la Plata -tan ancho que muchos viajeros lo confunden con el ....-, tiene un .... templado y muchos días de sol por año. La ciudad -con .... de habitantes- tiene 48 barrios. Las zonas más visitadas, por .... nacionales y extranjeros, son el Abastos, Puerto Madero, San Telmo, Recoleta, Palermo, ... y las avenidas del Centro, como Corrientes.
Es la .... ciudad para el teatro mundial y tiene más salas que Nueva York. Los museos porteños son famosos. El ...., música y danza están por todas partes.

Observa las fotos.

¿Cuál es la característica principal de cada barrio?

San Nicolás
Es uno de los barrios más antiguos de la ciudad, en pleno centro.

La Boca
Es un barrio con casas de colores, es un antiguo barrio de puerto, de fútbol e inmigrantes. Hay muchos bares y cantinas.

Puerto Madero
Es el barrio más joven de la ciudad. Solo tiene 16 años de vida. En el paseo marítimo se pueden ver barcos modernos y antiguos, y bares y cafeterías de ambiente muy moderno.

Palermo
Un barrio tranquilo, con un parque muy grande y hermoso.

Recoleta
En este barrio se puede visitar el cementerio del mismo nombre: uno de los más interesantes por sus impresionantes monumentos a los muertos.

San Telmo
Con su plaza central, sus mercadillos, sus tiendas de antigüedades y con un ambiente festivo y de tangos.

Proyecto

intercultural

Descubre Madrid, la capital de España

1. **Observa el mapa y contesta a las preguntas.**

  a. ¿Cuántas comunidades hay? Enuméralas.

  b. ¿Cuál es la capital de España? ¿Cómo se llama su comunidad autónoma?

  c. Mira la escala y calcula las distancias:

    - Madrid/Barcelona.

    - Madrid/Sevilla.

    - Madrid/Bilbao.

2. **Completa el texto con las palabras de la lista.**

Madrid se encuentra en el centro de la península .... a una altura
sobre el nivel del .... de 667 metros. Tiene 3 300 000 de ....:
los madrileños y las .... Es la tercera .... más poblada
de la Unión ...., detrás de París y .... Es la capital de
España y de la .... de Madrid. En ella están las sedes del Gobierno
y la residencia oficial de los .... de España, don Juan Carlos y doña
Sofía. Es una .... muy cosmopolita, y tiene una gran variedad de
...................., parques, museos y otros lugares de ocio.

- Comunidad
- habitantes
- ibérica
- Londres
- monumentos
- reyes
- capital
- madrileñas
- ciudad
- mar
- Europea

3. Observa las fotos. ¿Adónde puedes ir si te gusta/n...?

- Ver monumentos
- Los animales
- Pasear
- La pintura
- Las sensaciones fuertes
- La astronomía

Madrid visual

Parque del Retiro

Faunia

La Cibeles

Parque de atracciones

La Casa de Campo

Parque Warner

Museo del Prado

Estación de Atocha

La Puerta del Sol

Zoo-Aquarium

Museo Reina Sofía

Plaza Mayor

Catedral de la Almudena

Palacio Real

Planetario

Proyecto
intercultural

El Parque Nacional de Doñana

El Parque Nacional de Doñana tiene 50 720 hectáreas. Está al sudoeste de España. Es Patrimonio de la Humanidad por la Unesco. Es la mayor reserva ecológica de Europa.

El parque de Doñana tiene un clima suave, de tipo mediterráneo. En él hay playas, dunas, bosques de pinos y marismas. En ellas viven durante el invierno unas 200 000 aves acuáticas.

Hay 20 especies de peces de agua dulce, 11 de anfibios, 21 de reptiles, 37 de mamíferos no marinos y 360 aves. Aquí viven especies únicas, algunas en peligro de extinción como el águila imperial y el lince ibérico. También hay tortugas, cigüeñas, ranas, gamos, culebras, patos...

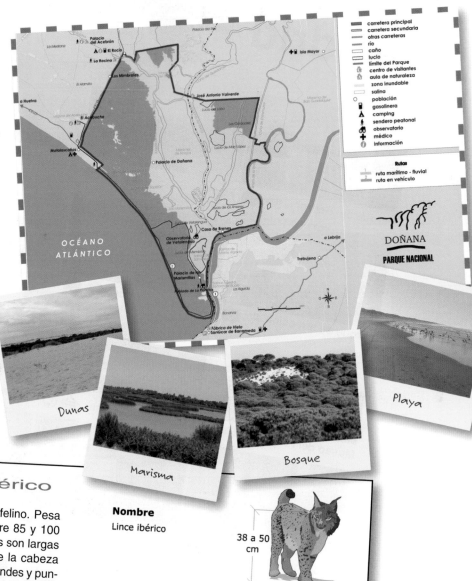

carretera principal
carretera secundaria
otras carreteras
río
caño
lucio
límite del Parque
centro de visitantes
aula de naturaleza
zona inundable
salina
población
gasolinera
camping
sendero peatonal
observatorio
médico
información

Rutas
ruta marítimo - fluvial
ruta en vehículo

OCÉANO ATLÁNTICO

DOÑANA
PARQUE NACIONAL

Dunas

Marisma

Bosque

Playa

El lince ibérico

El lince ibérico es un felino. Pesa doce kilos y mide entre 85 y 100 centímetros. Sus patas son largas y su cola, corta. Tiene la cabeza redonda con orejas grandes y puntiagudas, ojos grandes y largos bigotes. Vive en los bosques mediterráneos y en el Parque Natural de Doñana, en Andalucía. Come conejos. Es un animal solitario y vive entre diez y quince años. Está en vías de extinción (existen menos de mil ejemplares) y es una especie protegida.

Nombre
Lince ibérico

38 a 50 cm

85 a 100 cm

6 cm

5 cm

Cráneo
El cráneo de un lince apenas se diferencia del de un gato, excepto por el tamaño.

1. Lee el texto sobre el parque.

a. Completa el cuadro.

superficie	situación	clima	paisajes

b. Mira las fotos y clasifica los animales del parque.

Mamíferos	
Aves	
Reptiles	

Lagartija

Lince

Pato

Culebra

Cigüeña

Flamenco

Águila imperial

Gamo

2. Lee el texto sobre el lince ibérico.

a. Escribe el nombre de cada parte del cuerpo.

b. Completa la información.

Hábitat:	
Número de ejemplares:	
Peso:	
Altura:	
Longitud:	
Alimentación:	
Costumbres:	
Esperanza de vida:	
Problemas:	

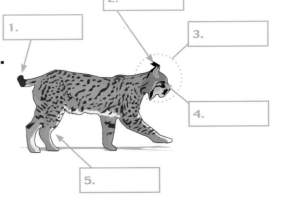

1.
2.
3.
4.
5.

3. Construye una página presentando un parque nacional o la fauna de tu país.

Los protagonistas de *Aventuras para 3*

Hola, soy Andrés. Soy primo de Juan (mi padre y el padre de Juan son hermanos) y soy también amigo de Rocío. Soy delgado y no muy alto. Soy serio, tranquilo, calculador y tengo un gran sentido de la orientación. Me gustan los ordenadores y la informática. Estudio en un colegio de la ciudad de Valladolid.

Hola, yo soy Juan, el primo de Andrés. También soy muy amigo de Rocío. Soy alto, fuerte y muy ágil. Tengo un carácter alegre e impulsivo. Estudio en un instituto. Mi padre se llama Esteban y es profesor de Educación Especial. Mi madre se llama Carmen y es fisioterapeuta.

Buenas, amigos. Soy Rocío, la amiga de Juan y Andrés. Soy alta y delgada. Tengo mucha imaginación. Me gustan las aventuras. Mi padre se llama Fernando y trabaja en un banco. Mi madre se llama Inés y es veterinaria.

Hola a todos. Yo soy Más, la gatita encontrada en una cueva por Andrés, Juan y Rocío. Me han adoptado y vivo en casa de Rocío.

Estos tres personajes y su gata están de vacaciones de verano con los abuelos de Rocío y en su pueblo. Allí encuentran una llave misteriosa. Con ella van a vivir una serie de aventuras. Te invitamos a leer algunas.

1. Lee el texto.

Escribe las palabras nuevas y tradúcelas (puedes usar el diccionario o Internet).

....

....

....

....

2. Completa el cuadro sobre los protagonistas (si la información no está en el texto, pon una X).

Nombre	Andrés		
Descripción física			
Carácter			
Gustos			
Dónde estudia			
Nombre del padre			
Nombre de la madre			

3. Contesta a las preguntas.

¿De qué animal habla?   ....

¿Cómo se llama?   ....

¿Dónde vive?   ....

4. ¿Verdadero o falso?

	V	F
1. Estamos en verano.	☐	☐
2. Los tres amigos pasan las vacaciones en Valladolid.	☐	☐
3. Están en casa de los abuelos de Juan.	☐	☐

5. Mira, esta es la llave misteriosa.

Imagina qué puerta abre.

una llave

Al día siguiente todos se levantan cuando canta el gallo. Están felices y nerviosos. Tienen su propia cueva, su propia casa. Y además tienen un misterio que descubrir.

Entran, pero no usan las linternas. Tienen cerillas y encienden unas velas: les gusta su luz misteriosa…

-¡Qué bonita es nuestra cueva! -dice Andrés.

-¡Anda! Otra habitación.

-¡Con camas!

-Una, dos, tres y cuatro… -Juan las cuenta y exclama: ¡Para cuatro personas o más!

Andrés abre un cajón de una mesilla y encuentra una foto.

-¿Y esto?

-Pues…

Acercan la luz. En la foto hay cinco chicos jóvenes…

En otro cajón Rocío encuentra una insignia.

-Y esto… ¡pero si es una insignia del diablo! ¡Madre mía!…

El aire apaga las velas. Los chicos tienen miedo. Salen corriendo hasta la puerta.

¿Qué va a pasar?

un gallo

*Extracto de **El secreto de la cueva***
Colección «Aventuras para tres»

1. Lee el texto.
Escribe las palabras nuevas y tradúcelas (puedes usar el diccionario o Internet).

....
....
....

2. Contesta a las preguntas.

1. Al día siguiente, ¿se levantan temprano o tarde?

....

2. ¿Cómo están? ¿Por qué?

....

3. ¿Qué hacen cuando llegan a la cueva?

....

4. ¿En qué habitación están?

....

5. ¿Qué hay en los cajones?

....

6. ¿Quién encuentra cada cosa?

....

7. ¿Qué hace el aire?

....

8. ¿Por qué salen corriendo de la cueva?

....

3. Escribe los nombres en los recuadros.

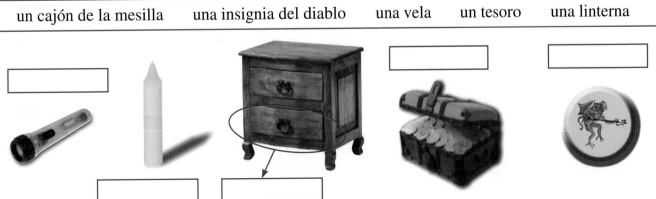

| un cajón de la mesilla | una insignia del diablo | una vela | un tesoro | una linterna |

Los tres chicos tienen una llave con una etiqueta que marca «bodega». Buscan la bodega y finalmente abren una puerta con la llave.

… Los tres entran. Todo está oscuro y abren mucho los ojos, sobre todo Juan y Rocío. En la entrada ven una mesa y unas sillas. En la mesa hay platos y vasos. Hay velas por todas partes. Nadie habla.

-A ver -dice Rocío que mira por todas partes-, en esta bodega no hay ni una sola botella de vino y en ella vive gente.

-Ahora no vive nadie, Rocío -contesta Andrés.

-Ya, pero antes sí.

-¿Y qué?

-Que hay varios misterios, ¿no? Por lo menos cuatro: ¿Quién es esta gente?, ¿cuándo está aquí?, ¿por qué está aquí?, y ¿por qué se va?

-Cinco, son cinco misterios -sigue Andrés-, ¿por qué se va tan rápidamente?

-¿Cuándo? Pues hace mucho porque todo está muy sucio. ¿Por qué? Pues no lo sabemos -dice Juan…

En una pared ven un crucifijo colocado al revés.

Juan lo baja y salen a verlo fuera de la cueva.

-¡Qué bonito! Tiene cuatro piedras preciosas…

Quieren seguir en la cueva, pero las linternas están ya descargadas y no ven bien.

-Vamos a cerrar nuestra cueva y venimos mañana.

-Bueno, Andrés, pero nos llevamos el crucifijo, ¿no? -pregunta Rocío.

-Sí, si quieres.

-Y no les decimos ni una palabra de esto a los abuelos -afirma Juan.

Los tres están de acuerdo en guardar el secreto de su cueva.

¿Qué más van a descubrir?

*Extracto de **El secreto de la cueva***
*Colección **«Aventuras para tres»***

1. Lee el texto.

Escribe las palabras nuevas y tradúcelas (puedes usar el diccionario o Internet).

....
....
....
....
....

2. ¿Qué sucede?

  Ordena las acciones, cronológicamente.

1. Encuentran un crucifijo.

2. Observan la bodega.

3. Cierran la cueva con la llave.

4. Los tres chicos abren una puerta con la llave.

5. Se hacen preguntas sobre los misterios de la bodega.

6. Salen de la cueva porque las linternas no funcionan.

3. ¿Qué ven en la cueva?

....
....
....

4. Los chicos hacen preguntas para descubrir el misterio de la cueva.

a. Copia los cinco misterios de la cueva.

1. ¿Quién es esta gente?

2. ....

3. ....

4. ....

5. ....

un crucifijo con
piedras preciosas

b. Uno de los misterios tiene respuesta.

  Escribe el número del misterio y la respuesta correspondiente.

....

5. El final del capítulo. ¿Verdadero o falso?

	V	F
1. Se llevan el crucifijo.		
2. Van a contar su aventura a los abuelos de Rocío.		
3. Van a volver mañana.		

Descubre México jugando

En parejas y por turnos

Tira el dado y ve a la casilla correspondiente.
Observa las fotos y contesta a las preguntas.

¿Cómo se llama la capital de México?

4

3

5

Ve a la casilla 4.

2

1

META

27

México es un país sudamericano, ¿verdadero o falso?

BANCO DE MEXICO

N 61000007

SERIE G

10 DIEZ

20

26

21

22

24

23

Nombra cuatro estados que se escriben con tilde.

25

Nombra dos ciudades en las costas.

6 ¿Cómo se llama la península que está a la izquierda?

7

8 ¿Qué mar y qué océano hacen frontera?

9

10

11 ¿Cuál es la moneda mexicana?

12 Ve a la casilla 8.

13 ¿Qué países rodean México?

14

16

15 Ve a la casilla 13.

18

17 ¿Cómo se llama el estado más al sur?

19 ¿Cuántos estados lo forman?

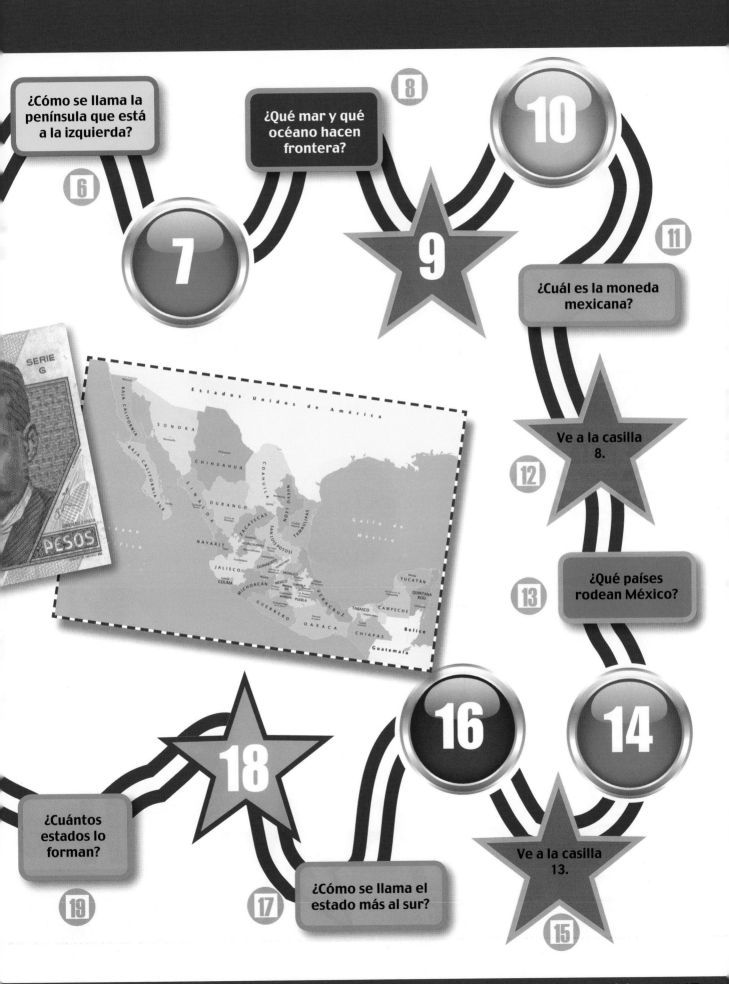

SERIE G

PESOS

Estados Unidos de América

BAJA CALIFORNIA
SONORA
BAJA CALIFORNIA SUR
CHIHUAHUA
COAHUILA
SINALOA
DURANGO
NUEVO LEÓN
ZACATECAS
TAMAULIPAS
SAN LUIS POTOSÍ
NAYARIT
AGUASCALIENTES
GUANAJUATO
JALISCO
HIDALGO
COLIMA
MICHOACÁN
MÉXICO
TLAXCALA
D.F.
MORELOS
PUEBLA
VERACRUZ
YUCATÁN
QUINTANA ROO
TABASCO
CAMPECHE
GUERRERO
OAXACA
CHIAPAS
Belice
Guatemala
Golfo de México

Descubre Argentina jugando

En parejas y por turnos

Tira el dado y ve a la casilla correspondiente.
Observa las fotos y contesta a las preguntas.

¿Cómo se llama la capital de Argentina?

4

3

5

1

Ve a la casilla 4.

2

META

27

No tiene frontera con Brasil, ¿verdadero o falso?

26

20

21

25

24

23

22

¿Cuál es su moneda?

Nombra una provincia de una sola palabra con el acento en la antepenúltima sílaba.

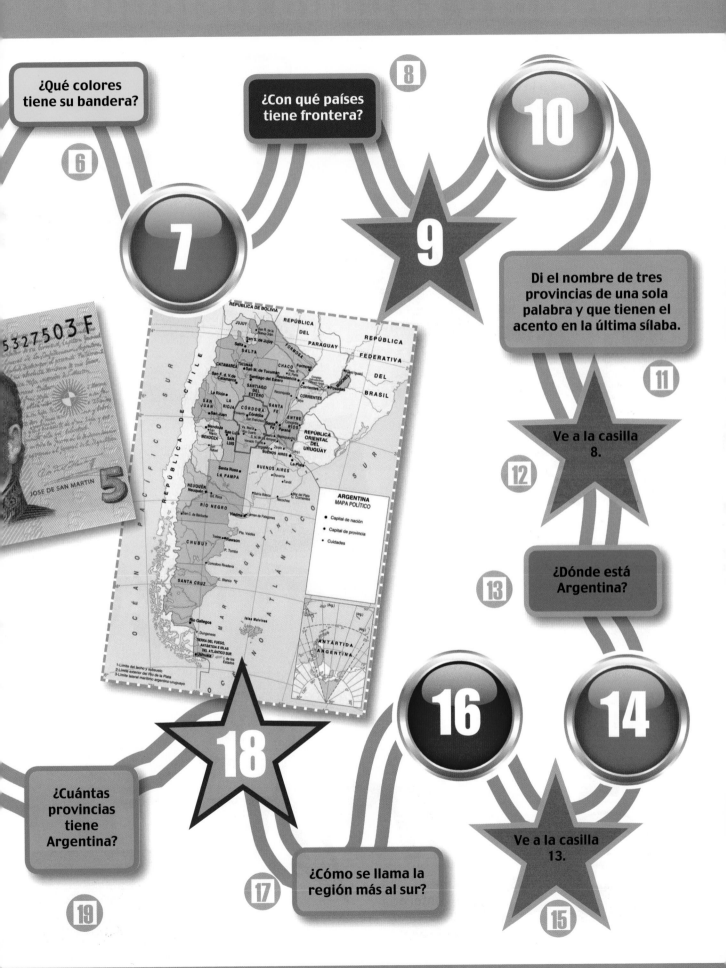

¿Qué colores tiene su bandera?

6

¿Con qué países tiene frontera?

8

7

9

10

Di el nombre de tres provincias de una sola palabra y que tienen el acento en la última sílaba.

11

Ve a la casilla 8.

12

¿Dónde está Argentina?

13

16

14

Ve a la casilla 13.

15

¿Cuántas provincias tiene Argentina?

18

¿Cómo se llama la región más al sur?

17

19

Descubre España jugando

En parejas y por turnos

Tira el dado y ve a la casilla correspondiente.
Observa las fotos y contesta a las preguntas.

¿Cómo se llama la capital de España?

④

3

5

Ve a la casilla 4.

②

1

META

27

España es un país de la Unión Europea, ¿verdadero o falso?

20

26

100 EURO

21

24

23

22

25

¿Qué países tienen frontera con España?

Nombra cuatro comunidades con el acento en la penúltima sílaba.

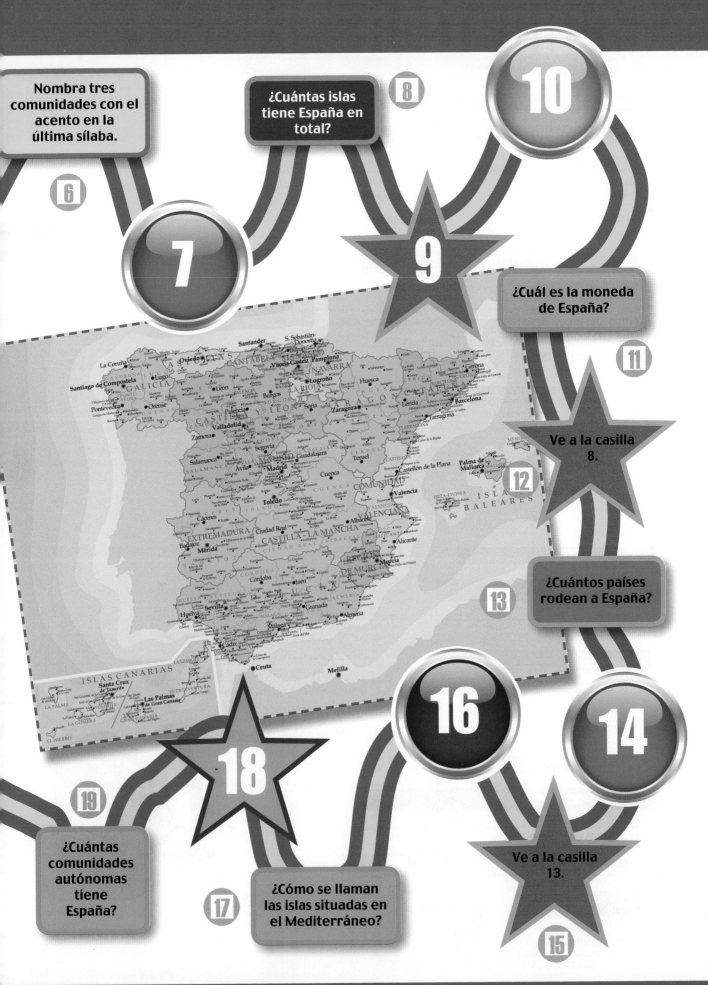

Nombra tres comunidades con el acento en la última sílaba.

6

7

¿Cuántas islas tiene España en total?

8

10

9

¿Cuál es la moneda de España?

11

Ve a la casilla 8.

12

¿Cuántos países rodean a España?

13

16

14

Ve a la casilla 13.

18

19

¿Cuántas comunidades autónomas tiene España?

17

¿Cómo se llaman las islas situadas en el Mediterráneo?

15

Gramática

LOS SUSTANTIVOS

EL MASCULINO Y EL FEMENINO	
Son masculinas	Son femeninas
Las palabras terminadas en –o/–or el amigo, el profesor	**Las palabras terminadas en** –a/–ad la lengua, la edad
Excepción: la foto, la flor	**Excepciones:** el día, el mapa

SINGULAR	PLURAL
Terminadas en vocal: chica, nombre, equipo	+ –s: chicas, nombres, equipos
Terminadas en consonante: ordenador, ciudad	+ –es: ordenadores, ciudades
Terminadas en –z: lápiz	> –ces: lápices

**el sacapuntas > los sacapuntas/el cumpleaños > los cumpleaños
la barra de pegamento > las barras de pegamento
las tijeras: siempre en plural**

Palabras terminadas en –ón/–ín > –ones/–ines
El acento escrito desaparece.

el balcón, el jardín > los balcones, los jardines

LOS ARTÍCULOS

Indeterminados

	masculino	femenino
singular	un	una
plural	unos	unas

Determinados

	masculino	femenino
singular	el	la
plural	los	las

Una mochila, dos cuadernos, uno verde y otro azul, unas tijeras, un bolígrafo y un rotulador, la barra de pegamento.

LOS ADJETIVOS Y ADVERBIOS

FORMACIÓN DEL FEMENINO

MASCULINO	FEMENINO
Terminados en –o: vago	–o > –a: vaga
Terminados en –or: trabajador	+ –a: trabajadora
Terminados en –e: sociable	–e: sociable

ADVERBIO DE CANTIDAD

Muy + adjetivo
Es muy tímido.

LOS ADJETIVOS POSESIVOS

	MASCULINO	FEMENINO
yo	mi **hermano** mis **hermanos**	mi **hermana** mis **hermanas**
tú, vos	tu **abuelo** tus **abuelos**	tu **abuela** tus **abuelas**
él, ella, usted	su **sobrino** sus **sobrinos**	su **sobrina** sus **sobrinas**
nosotros/as	nuestro **tío** nuestros **tíos**	nuestra **tía** nuestras **tías**
vosotros/as	vuestro **primo** vuestros **primos**	vuestra **prima** vuestras **primas**
ellos/as, ustedes	su **nieto** sus **nietos**	su **nieta** sus **nietas**

> En casa vivimos cinco personas: mis padres, mi hermano, mi abuela y su gato y yo.

LOS DEMOSTRATIVOS

	MASCULINO	FEMENINO
AQUÍ	este estos	esta estas
AHÍ	ese esos	esa esas
ALLÁ/ALLÍ	aquel aquellos	aquella aquellas

> Esta es mi amiga Beatriz. Es mi mejor amiga este año.

ADVERBIOS DE LUGAR

Muy lejos – ALLÁ/ALLÍ

Lejos – AHÍ

Cerca – AQUÍ

EXPRESIONES DE LUGAR

detrás de   delante de   debajo de   sobre

al lado   entre

LOS INTERROGATIVOS

- ¿Quién **eres**?
- ¿Cómo **te llamas**?
- ¿Cuántos **años tienes**?
- ¿Cuántas **amigas tienes**?
- ¿Dónde **vives**?

- Soy José.
- Me llamo Marta.
- Tengo 12 años.
- Tengo 6.
- Vivo en Barcelona.

¿Cuántos + **nombre masculino plural**?
¿Cuántas + **nombre femenino plural**?

Las palabras interrogativas llevan un acento escrito.
Las frases interrogativas empiezan con ¿ y terminan con ?

LOS VERBOS EN PRESENTE

	LLAMARSE	SER	VIVIR	TENER
(yo)	me **llamo**	soy	vivo	tengo
(tú)*	te **llamas**	eres	vives	tienes
(él, ella, usted)	se **llama**	es	vive	tiene
(nosotros/as)	nos **llamamos**	somos	vivimos	tenemos
(vosotros/as)	os **llamáis**	sois	vivís	tenéis
(ellos/as, ustedes)	se **llaman**	son	viven	tienen
* (vos)	te **llamás**	sos	vivís	tenés

> Yo me levanto a las siete y media y salgo de casa a las ocho. Y tú, ¿a qué hora tienes clase?

	VER	HACER	JUGAR
(yo)	veo	hago	juego
(tú)*	ves	haces	juegas
(él, ella, usted)	ve	hace	juega
(nosotros/as)	vemos	hacemos	jugamos
(vosotros/as)	veis	hacéis	jugáis
(ellos/as, ustedes)	ven	hacen	juegan
* (vos)	ves	hacés	jugás

	VENIR
(yo)	vengo
(tú)*	vienes
(él, ella, usted)	viene
(nosotros/as)	venimos
(vosotros/as)	venís
(ellos/as, ustedes)	vienen
* (vos)	venís

EL PRESENTE DE INDICATIVO

	LEVANTARSE	SALIR	IR	VOLVER	EMPEZAR	VESTIRSE
(yo)	me levanto	salgo	voy	vuelvo	empiezo	me visto
(tú)*	te levantas	sales	vas	vuelves	empiezas	te vistes
(él, ella, usted)	se levanta	sale	va	vuelve	empieza	se viste
(nosotros/as)	nos levantamos	salimos	vamos	volvemos	empezamos	nos vestimos
(vosotros/as)	os levantáis	salís	vais	volvéis	empezáis	os vestís
(ellos/as, ustedes)	se levantan	salen	van	vuelven	empiezan	se visten
*(vos)	te levantás	salís	vas	volvéis	empezás	te vestís

EL VERBO «GUSTAR»

(A mí)	me		
(A ti, vos)	te	gusta	el cine/la música/leer
(A él, ella, usted)	le		
(A nosotros/as)	nos		las fresas
(A vosotros/as)	os	gustan	los perros
(A ellos/as, ustedes)	les		

A mí me gusta mucho el chocolate. También me gustan las fresas. Y a ti, ¿qué te gusta?

Acuerdo
- Me gustan los perros.
- No me gusta leer.
- A mí también.
- A mí tampoco.

Desacuerdo
- Me gustan los perros.
- No me gusta leer.
- A mí no.
- A mí sí.

LA CANTIDAD

- Muy + adjetivo
  Es muy tímido.

- verbo + mucho/poco/nada
  Me gusta mucho el fútbol.
  Me gusta poco leer.
  No estudia nada.

OPOSICIONES «HAY/ESTÁ(N)»

«HAY»: PARA INDICAR LA EXISTENCIA
Se usa con uno, una, un, dos, tres...

- ¿Cuántas ventanas hay en el aula?
- Hay una/dos/tres...

- ¿Cuántos libros hay sobre la mesa?
- Hay uno/dos/tres...

- ¿Qué hay en el aula?
- Hay un estante, dos ventanas...

«ESTAR»: PARA SITUAR EN EL ESPACIO
Se usa con el, la, los, las, los posesivos...

- ¿Dónde están los alumnos?
- Los alumnos están en el patio.

- ¿Dónde están tus compañeros?
- Mis compañeros están en el comedor.

- ¿Estáis en el gimnasio?
- No, estamos en el aula de idiomas.

«IR A» + INFINITIVO

Voy	a	patinar en el parque.
Vas	a	bailar en una fiesta.
Va	a	leer una revista.
Vamos	a	estudiar para el examen.
Vais	a	cantar en un karaoke.
Van	a	chatear con un amigo.

¿CUÁNDO?
- esta mañana/esta tarde/esta noche
- este fin de semana
- hoy/mañana
- a la una/a las tres y media...
- el lunes/el martes...

Vamos a ir al cine, ¿vienes con nosotros?

No puedo, tengo que hacer los deberes.

IR AL/A LA

ir al + nombre masculino
ir a la + nombre femenino

- ¿Adónde vais?
- Vamos al cine y a la piscina.

VENIR DEL/DE LA

venir del + nombre masculino
venir de la + nombre femenino

- ¿De dónde vienes?
- Vengo del parque y de la librería.

LA OBLIGACIÓN

«Tener que» + obligación

Tengo	que	salir.
Tienes*	que	estudiar.
Tiene	que	hacer el ejercicio.
Tenemos	que	llamar a Camila.
Tenéis	que	escribir un «e-mail».
Tienen	que	hacer los deberes.

* (vos)   tenés que

«QUERER/PREFERIR» + INFINITIVO

Deseo

quiero
quieres
quiere
queremos
queréis
quieren

- navegar por Internet.
- ver la tele.
- escribir un SMS.

Otra preferencia

prefiero
prefieres
prefiere
preferimos
preferís
prefieren

- pasear por el parque.
- hacer deporte.
- salir con mis amigos.

Verbos con pronombre: el pronombre concuerda con la persona en la que va conjugado el verbo.
- Con querer, el pronombre va antes de querer o después del infinitivo formando una sola palabra.
- Con preferir, el pronombre va después del infinitivo formando una sola palabra.

LOS VERBOS EN PASADO

Querido diario:
Ayer hice muchas cosas interesantes. Fui al zoo con mis amigos y vimos muchos animales. Después estuve en casa de mis abuelos...

	HABLAR	COMER	ESCRIBIR
(yo)	hablé	comí	escribí
(tú, vos)	hablaste	comiste	escribiste
(él, ella, usted)	habló	comió	escribió
(nosotros/as)	hablamos	comimos	escribimos
(vosotros/as)	hablasteis	comisteis	escribisteis
(ellos/as, ustedes)	hablaron	comieron	escribieron

	JUGAR	LEER	ESTAR	HACER	IR	VER
(yo)	jugué	leí	estuve	hice	fui	vi
(tú)	jugaste	leíste	estuviste	hiciste	fuiste	viste
(él, ella, usted)	jugó	leyó	estuvo	hizo	fue	vio
(nosotros/as)	jugamos	leímos	estuvimos	hicimos	fuimos	vimos
(vosotros/as)	jugasteis	leísteis	estuvisteis	hicisteis	fuisteis	visteis
(ellos/as, ustedes)	jugaron	leyeron	estuvieron	hicieron	fueron	vieron

Transcripciones

Pista 1
¡Hola! Soy Lorena. Te presento a mis amigos del Tuenti: Carlos, Charo, Cristina, David, Guillermo, Íñigo, Juan, Pilar y Ramón.

Pista 2
Uno, Charo – dos, Íñigo – tres, Cristina – cuatro, Pilar – cinco, David – seis, Carlos – siete, Juan – ocho, Guillermo – nueve, Ramón.

Pista 3
Argentina, Badajoz, Barcelona, Bolivia, Carlos, Chile, Cristina, David, Ecuador, Íñigo, Logroño, Madrid, México, Panamá, Paraguay, Perú, Pilar, República, Sevilla, Uruguay, Valencia, Zaragoza.

Pista 4
Un teléfono, una bicicleta, un ordenador, un plátano, un pájaro, unas pelotas, un pastel, un caracol, un paraguas, una mariposa.

Pista 6
1. Hola, Toby, hola, bonito.
2. • Buenos días, profesor.
   • Hola, chicos, buenos días. Venga, a clase.
3. Adiós, buenas noches.
4. • Hola, buenas tardes.
   • ¡Hola!, ¿qué tal?

Pista 7
Trece.
Natalia.
Dos, se llaman Carlota y Marta.
En Barcelona.
Es un amigo.

Pista 9
A, be, ce, de, e, efe, ge, hache, i, jota, ka, ele, eme, ene, eñe, o, pe, cu, erre, ese, te, u, uve, uve doble, equis, ye y zeta.

Pista 10
• Pablo, ¿qué día es tu cumpleaños?
• El 10 de octubre.
• ¡El 10 de octubre! Es hoy, ¡feliz cumpleaños!
• Gracias.

• ¿Y cuáles son tus regalos?
• Pues... un libro, un videojuego y una hucha.
• ¡Qué bien!

Pista 12
Hola, me llamo Elena. En mi *blog* tengo cuatro amigos extranjeros. Marco es italiano, tiene 12 años y su cumpleaños es el 15 de mayo. María es portuguesa, tiene 11 años y su cumpleaños es el 20 de enero. Laura es francesa, tiene 13 años y su cumpleaños es el 25 de abril. David es alemán, tiene 14 años y su cumpleaños es el 21 de diciembre.

Pista 14
1. el instituto
2. el despertador
3. una semana
4. la nacionalidad
5. un llavero
6. una mochila
7. la ilustración
8. un archivador
9. el sacapuntas
10. un día

Pista 15
En mi mochila tengo dos cuadernos, tres libros, una calculadora, un archivador, una regla y un estuche. En mi estuche tengo dos lápices, una goma, un sacapuntas, unas tijeras.

Pista 16
Juan: Hola, Beatriz.
Beatriz: Hola.
Juan: ¿Cuáles son tus actividades preferidas de la clase de idiomas?
Beatriz: Pues... mi preferida es ver vídeos, pero también escuchar textos y hablar con mis compañeros.
Juan: ¿Y leer?
Beatriz: No, leer, no.

Pista 17
1. vemos
2. escribes
3. juegan

4. hago
5. pasea
6. bebéis
7. como
8. explicas
9. buscamos
10. leen

Pista 18
En el recreo, mis compañeros hacen muchas actividades. Raúl y sus amigos juegan al baloncesto. Marta escucha música en su MP3. Laura corre por el patio. Belén y Pilar hablan en la biblioteca. Alicia navega por Internet. Marcos estudia si tiene un examen. Beatriz lee un libro y Julia escribe su diario.

Pista 19
• Hola, Óscar. ¿Qué haces en el recreo?
• Pues... leo un libro, bebo un zumo de naranja en la cafetería y juego al fútbol.

Pista 20
1. verde
2. negro
3. blanco
4. azul
5. gris
6. marrón
7. rosa
8. violeta
9. rojo
10. naranja
11. amarillo

Pista 21
Pedro: ¡Lucas!
Lucas: Hola, Pedro, ¿qué tal?
Pedro: Muy bien. ¿Jugamos?
Lucas: Vale.
Pedro: ¿Qué tal la clase de Geografía?
Lucas: Bien, bien... Es mi asignatura favorita. ¿Qué clase tienes después del recreo?
Pedro: Los martes no tengo clase. Hoy estudio con Patricia en la biblioteca, en los ordenadores. El jueves tenemos un

examen de Inglés.

Lucas: ¡¡Oh, no!!
Pedro: ¡Chao!
Lucas: ¡Adiós!

Pista 23
- Hola.
- Hola.
- ¿Cómo se llaman tus padres?
- Mi padre se llama Carlos y mi madre, Amelia.
- ¿Dónde viven tus abuelos?
- Los padres de mi padre viven en Madrid y los padres de mi madre viven en Granada.
- ¿Cuántos tíos y tías tienes?
- Tengo cinco tíos y seis tías.
- ¿Cuántos primos tienes?
- Ocho.
- ¿Cuántas primas tienes?
- Cinco.
- ¿Eres hijo único?
- ¡¡No!! Tengo un hermano y una hermana.
- ¿Y qué día es su cumpleaños?
- El cumpleaños de mi hermano es el 6 de enero y mi cumpleaños, el 25 de agosto.

Pista 24
- Hola, Natalia.
- Hola.
- ¿Te gusta ver la tele?
- Sí, veo la tele cuando vuelvo del instituto.
- ¿Te gusta el baloncesto?
- Sí, juego con el equipo del instituto.
- ¿Y el chocolate?
- Síííííí… Me gusta muchísimo. ¡Qué bueno!
- A mí también me gusta. Y las galletas, ¿te gustan las galletas?
- ¡Síííííí!
- ¿Te gusta leer?
- Pf… No, no…
- ¿Te gusta montar en bici?
- Sí, pero no tengo bici, monto en la bici de mi hermana.
- ¿Te gustan las fresas?
- No. ¡A mí me gusta el chocolate!

Pista 25
- ¿Diga?
- Buenos días, llamo por el

anuncio de la obra de teatro.
- Muy bien. ¿Cómo te llamas?
- José.
- ¿Cómo tienes el pelo?
- Soy moreno. Tengo el pelo corto y liso.
- ¿Cuánto mides?
- Mido un metro sesenta y ocho.
- ¿De qué color son tus ojos?
- Tengo los ojos verdes.
- Muchas gracias.

- ¿Diga?
- Hola, llamo por el anuncio de la obra de teatro.
- ¿Cómo te llamas?
- Me llamo Natalia.
- ¿Cómo tienes el pelo?
- Soy rubia. Tengo el pelo largo y liso.
- ¿Cuánto mides?
- Mido un metro cincuenta y tres.
- ¿De qué color son tus ojos?
- Tengo los ojos azules.
- Muchas gracias.

Pista 26
Celia: A ver, Juan… ¿Qué colores te gustan?
Juan: El azul y el violeta.
Celia: El azul y el violeta… Vale. ¿Qué colores no te gustan?
Juan: El verde.
Celia: El verde.
Juan: ¡Ahora contestas tú!
Celia: Pues me gusta el rosa y no me gusta el violeta.

Pista 28
Hola. Me llamo Elena. Soy alta y delgada. Soy morena. Tengo el pelo corto y rizado. Tengo los ojos negros. Ah… llevo zapatillas deportivas. ¿Quién soy?

Pista 29
- Tengo que hacer un trabajo para la clase. ¿Puedo hacerte unas preguntas sobre tus horarios?
- Sí, claro.
- Dime, ¿a qué hora te levantas normalmente?
- Pues a las siete y veinte.
- Ajá. ¿Y a qué hora empiezan las clases en tu instituto?

- A las ocho y veinte.
- ¿Y cuándo terminan las clases?
- Pues salimos del instituto a las dos y media.
- ¿Y comes en el instituto?
- No, no, como en casa, normalmente a las tres menos cuarto.
- ¿Y haces alguna actividad extraescolar?
- Sí, hago yudo. Voy todos los miércoles, a las cinco menos veinticinco.
- Bueno, ya está. Son las diez menos cuarto y me tengo que ir a clase. Muchas gracias.

Pista 30
1. salimos
2. empezáis
3. voy
4. vuelven
5. me visto
6. me levanto
7. se visten
8. empiezas
9. vuelve
10. te levantas

Pista 31
Profesor: Hola, Belén. ¿A qué hora te levantas todos los días?
Belén: Me levanto a las siete y cuarto. Después, me ducho, me visto y desayuno.
Profesor: ¿Con quién desayunas?
Belén: Con mi madre y mi hermano, en la cocina.
Profesor: ¿A qué hora sales de casa?
Belén: A las ocho menos diez.
Profesor: ¿Cómo vas al instituto?
Belén: En bici, y llego a las ocho y veinte. Las clases empiezan a las ocho y media.
Profesor: ¿Vuelves a casa para comer?
Belén: No, como en el instituto con un compañero.
Profesor: Y cuando vuelves a casa, ¿qué haces?
Belén: Meriendo, hago los

Transcripciones

deberes y escucho música.

Profesor: ¿A qué hora cenas?
Belén: A las nueve y media.

Pista 34
Hola, me llamo Nuria. Estoy en primero de la ESO y me levanto todos los días a las siete y media para ir al instituto. Salgo del instituto a las tres menos veinticinco y me voy a casa a comer. A las ocho menos cuarto termino los deberes y, entonces, chateo con mis amigos o escucho música. En casa, cenamos a las nueve menos diez y a las diez y media me voy a dormir.

Pista 35
Vivo en una casa con mis padres y mi hermana. Mi casa tiene dos plantas. En la planta baja hay un pequeño pasillo, una cocina grande y un salón con una terraza. El baño, mi habitación, la habitación de mis padres y la habitación de mi hermana están en la segunda planta. La habitación de mis padres tiene balcón. La casa tiene una piscina.

Pista 38
Hola, me llamo Pilar, Pilar García Gil, y vivo en la calle del Barco, número dieciséis. En el segundo piso. El código postal es el 30065 de Zaragoza.
Yo soy Raúl Álvarez y vivo en la plaza Grande, 5, en el tercero derecha. Es en Galapagar, en el 28502
Y yo soy Teresa Sans. Vivo en Barcelona, en la calle Larga, número siete, en el primer piso. Ah, el código postal es el 08012.

Pista 40
1.
• ¿Qué te gusta hacer cuando hace calor?
• Me gusta ir a la playa, comer helados, hacer surf.

2.
• ¿Y cuando llueve?
• No me gusta salir, prefiero ver la tele o escuchar música. Y me gusta mucho comer pizza cuando llueve.

3.
• Cuando hace bueno, ¿qué haces?
• Juego con mi perro, paseo con mis amigos, juego al voleibol…

4.
• ¿Y cuando hace frío?
• Me gusta esquiar. Me gusta mucho ir a los Pirineos con mi padre. Y hacer un muñeco de nieve en el jardín, ¡claro! Con su sombrero.

5.
• ¿Y qué te gusta hacer cuando hay tormenta?
• No me gustan nada las tormentas… No salgo, me quedo en casa y hago galletas de chocolate.
• ¡Ja, ja, ja!

Pista 41
El domingo, me levanté a las diez y diez. Por la mañana, jugué con la consola, hice los deberes y paseé al perro. Comí con mis padres a las dos. Por la tarde, monté en bici con mi padre y chateé con una amiga.

Pista 43
Telefonista: Museo de la Ciencia, ¡buenos días!
Profesor: Buenos días. Soy profesor de Ciencias y quiero organizar una visita con mis alumnos. ¿Qué talleres ofrece el museo?
Telefonista: Para los alumnos de instituto, tenemos varios talleres. En el planetario, hay una exposición sobre el sistema solar. En la sala dedicada a los animales prehistóricos, hay un esqueleto de dinosaurio.
Profesor: ¡Qué interesante!
Telefonista: Sí, los alumnos pueden montar el esqueleto con un programa de ordenador. También tenemos un laboratorio para hacer experimentos con la electricidad.
Profesor: ¡Muy bien!
Telefonista: En la sala dedicada a los océanos, pueden ver un documental sobre la vida de los delfines.
Profesor: Y la sala de la geografía, ¿qué es, por favor?
Telefonista: Es una sala con fotografías gigantes de los bosques de España sacadas desde un satélite durante 10 años, para observar la evolución de los árboles.
Profesor: Pues me gustan mucho las actividades. Voy a hablar con mis alumnos para organizar una visita la semana que viene.
Telefonista: Muy bien. El museo abre a las diez y cierra a las seis de la tarde.
Profesor: Muchas gracias, adiós.
Telefonista: Adiós.